映画の不良性感度

内藤 誠
Makoto Naito

小学館新書

映画の不良性感度

目次

はじめに

　それなりに品揃えのいい書店が近所にあって、散歩がてらよく出かける。そこで気づいたことだが、最近、新刊コーナーにシニア向けの本がやたらと多い。しかも、帯の告知によればよく売れているらしい。

　長いコロナ自粛のなか、映画を見ることと本を読むことだけで暮らしているので、わたしも『百歳までの映画と本』といった、ガイドブック風のものでも書いてみるか、とかんがえた。しかし、いざ机に向かうと、他人をガイドできるような「老人力」は出てこない。

　赤瀬川原平の名エッセー『老人力』（ちくま文庫）には、南伸坊とのユーモラスなやりとりのなかで、おたがい歳をとって物忘れが増えてくると、「老人力がついてきたな」と盛り上がるくだりがあるのだが、わたしの場合、まだ映画を撮ってみようというたのしみを残しているので、映画を見ても、本を読んでも、次回作に役立てようと、忘れた場合に備えてついメモをとってしまう。だから、映画今昔めぐりのようなものなら、現場に出られない今こそまとめられるのでは、と思いたった。

そんなとき、試写会でオリヴィエ・アサイヤス監督が１９９７年に台湾で製作した『ＨＨＨ：侯孝賢《ホウシャオシェン》』（公開２０２１年）を見た。さすが、２０１４年に傑作『アクトレス　女たちの舞台』を演出するだけあって、いい背景で侯孝賢監督の動きを巧妙にとらえていた。

侯監督はアサイヤスを前にいろんな場面で、中国大陸から台湾にかけて、自分が育ってきた環境を客観的に分析しようとするのだが、つい主観的に自分の姿をさらけ出してしまう。そして最後は、好きな歌をカラオケでしみじみと熱唱する顔のクローズアップで、映画が終わるのが印象にのこった。いいドキュメンタリーである。

これを手本に、わたしもあまり気取らず、柔軟に、今昔の映画の物語をめぐることができたらとおもう。わたしが駆け出し時代を過ごした１９６０年代の東映は、「不良性感度」をキャッチフレーズに鮮烈な作品を量産していた。その頃のエピソードもまじえながら、不良性感度たっぷりに映画を語っていきたい。

第1章

過去への旅

1959年、東映の助監督時代

『男と女　人生最良の日々』

ヌーヴェル・ヴァーグの作品に影響を受けて育ったわたしたちは88歳のジャン＝リュック・ゴダールの『イメージの本』が公開されると、その健在ぶりを確認するために急いで映画館に駆けつける。

そして同じく2019年の暮れになって、82歳のクロード・ルルーシュが1966年公開の『男と女』の後日談、『男と女　人生最良の日々』を見せてくれたのだ。

主演はアンヌ役に1932年生まれのアヌーク・エーメ、ジャン＝ルイ役に1930年生まれのジャン＝ルイ・トランティニャンと、ご存じの懐かしい二人が、フランシス・レイの「ダバダバダ……」の音楽とともに登場してくる。シニアだけの試写会で見たので、若い人の反応はわからないが、オールド・ファンにはたまらない企画である。

かつてはレーシング・ドライバーとして世にきこえたジャン＝ルイも認知症がすすみ、海辺の施設で余生を送っている。

そんな父親の姿を目にして心配した息子のアントワーヌ（アントワーヌ・シレ）は病気の進行を止めようと、ジャン＝ルイが長年追い求め、愛し続けてきた女性アンヌを探す。

ついにアンヌの居場所を突き止めたアントワーヌは彼女が経営する店を訪ね、ジャン＝ルイの近況を説明し、「もう一度、父と会ってほしい」と言う。

考えたすえ、承諾したアンヌがジャン＝ルイのいる施設を訪れるシーンは、どうなることかとオールド・ファンは、はらはらする。

アヌーク・エーメは昔の面影を残し、老いてもなお美しいのに、相手がアンヌだと気がつかないジャン＝ルイは「あなたに似ている女性を愛していた」とアンヌへの思いを語る。

見かけはダンディながら、夢とうつつの間を生きている彼は「死はおさめるべき税金だ」などと呟き、胸にひびく詩を口にするのだ。

自分がいかに愛されていたかを知ったアンヌはジャン＝ルイを連れて思い出の地であるノルマンディーへと車を走らせる。長い空白を経て二人の物語が新たに始まる。

フラッシュ・バックされる『男と女』ではモンテカルロラリーが見せ場になっていたが、こんどの映画では赤信号無視で、早朝のパリの街を自動車で駆け抜けていく長い主観移動のショットが印象に残る。ルルーシュの映像感覚があまり変わっていないということだ。

飛行機少年と『風立ちぬ』

宮崎駿の作品を島田裕巳が『映画は父を殺すためにある』（ちくま文庫）で「通過儀礼」として論じていたが、わたしが宮崎アニメに感じる魅力は、なによりも空を駆ける浮遊感の心地よさにあり、『風の谷のナウシカ』（１９８４）や『紅の豚』（１９９２）が好きで、今度の『風立ちぬ』（２０１３）も零戦の設計者、堀越二郎を主人公にしたものである。

親の影響で、じつはわたしも飛行機少年だった。映画監督を志望するだけあって、人一倍凝り性だった。しかし、それは疎開と空襲による生家の焼失とともに、忘却のかなたに消え去った趣味である。さてそこで、いまなお、わが同世代で、零戦の美学を追求し、アニメ化の労苦をいとわぬ監督がいるとは、そのこと自体、わたしには驚きだった。

かつて「キネマ旬報」誌の特集号で『千と千尋の神隠し』（２００１）について原稿を書いたときは、その多神教的な面白さをたたえながら、同じ東映の敷地内に、いい演出家がいたのだなあと思うくらいですませていたが、このたびは「ＣＵＴ」誌の渋谷陽一による『風立ちぬ』３万字インタビューを買い求めて、彼の零戦への打ち込みようは、一体どこから来ているのかを、まず知ろうとした。

はたして彼はこのインタビューで、飛行機関係の会社を経営する父のもとで育ち、「僕は思春期の頃、親父と戦争協力者じゃないかってもめた経験がある」と語っていた。

予測通り、やはり「そのスジの者」であったかと、それなりに納得したが、わたしも父がこの映画のメイン舞台である、名古屋の三菱名古屋航空機製作所に勤めていた関係で、工場に近い、のちには空襲で跡形もなくなる家に生まれ、育っていたのだ。

もっとも、わたしの父は宮崎家のような経営者筋ではなく、一介のエンジニアにすぎなかったので、戦争直後の失職により家族、親族一同から同情されこそすれ、まして息子から冗談にも弾劾されるようなことはなかった。それでも父なりに戦闘機を作った罪を悔い、長髪を丸坊主にして、自慢の口髭《くちひげ》もそり、ひたすら庭の落ち葉かきをして働こうとしなかったので、大佛《おさらぎ》次郎文・有岡一郎画の『山本五十六《いそろく》元帥』（学芸社）を読んで海軍兵学校に憧れていたわたしも、このままでは上級学校への進学は無理かもしれないと思った。

小遣いをくれていた叔父さんたちはみんな戦死し、B29ばかりがうるさく飛んで、わたしは人生最低の時期を迎え、さすがの飛行機少年も、零戦など見向きもしなくなった。

2013年11月号の「シナリオ」誌では巻頭企画として「シナリオライターは『風立ち

ぬ』をどう観たか」という特集をやっていた。サウンドと映像の力におおむね圧倒されている「キネマ旬報」誌の星取りレビューに比べると、こちらはシナリオの構成を含めて点がからい。とりわけ「東映的」ともいえる、二郎と菜穂子のメロドラマに関し、井土紀州氏は「セックスを描いてないから、歪《いびつ》に見えるんです。あの二人はセックスしたいから一緒にいたいんだろうということですよ。だから（菜穂子が二郎を誘う）『来て！』のあとが見たいんだよな」と手きびしい。

　わたしの好みで言えば、同じく病身のヒロインでも同時期に見たボリス・ヴィアン原作『ムード・インディゴ』のクロエは、胸に睡蓮の花（ヴィアンが敬愛するデューク・エリントンの曲名「ロータス・ブロッサム」！）を咲かせたりする病になっているので、芸術家肌の主人公の純愛を描くにあたり、感覚的に哀しみの味わいが深まるフィクションだった。

　また、『戦争と一人の女』（2013）を公開したばかりの井上淳一監督は「やはり、美しく飛ぶはずだった飛行機が特攻でただの爆弾と化すという具体的な結末も描くべきではないのか。そういうことを描くと、大ヒットを宿命づけられた『国民映画』にならないとでも思ったのだろうか。これじゃ、堀越はただの専門バカ。海軍からの依頼で造っておいて、飛行機が美しいだけで終わるはずないでしょ」とこれまた、ごもっともな意見。キネ旬でいくつも星を並べた方々も、たちまち論破されてしまうはずである。だからこの方面の論考はこれまでとして、わたしが稲垣足穂《たるほ》や内田百閒《ひゃっけん》の系譜につらなる飛行機少年の話にもどろうとしていたところ、「シナリオ」誌に続いて「映画芸術」秋号が送られてきた。「国民的映画『風立ちぬ』大批判！」という特集である。巻頭はいつも試写会に招待してくれる、同世代の沖島勲の文章で、彼の結論としていわく、「映画を見て一月近く経ったが……残るのは、あの青い空だ。もう二度と還って来ない、あの青空だ。貧しくても、尊かった、青い空。尊い、尊い、今やアニメでしか見られなくなった、青い空……」とある。

この詩的な締めのことばは、いろいろ言ったあげくの沖島氏の本音であるとともに「引退宣言」までしたアニメの巨匠の絶望感を代弁しているものでもある。わたしがこれから書くことも、そのセンチメントの流れで始めるしかない。

さて、先述の宮崎駿の出自から分かるように親が飛行機製造に関係していると、子どもが飛行機に夢中になるのは自然の流れである。わたしもまた学齢に達するまえから、「航空画報」のたぐいを購読し、「零戦のＡ６はすごいぞ」などと、いっぱしの知識を口にしていた。幼児のつねとして、飛行機でさえあれば、もちろん敵味方に関係はない。

熱田神宮で「大東亜戦争博覧会」が開催されたときは、日本軍が拿捕《だほ》したカーチスP40を間近で見るために何度も出かけていった。この博覧会には、パレンバンの油田地帯に降下した落下傘部隊の兵士が使用したパラシュートなども展示された。その白い布には、点々と血のあとが付いていて、その持ち主は、壮烈な戦死をとげたとの説明がついていた。「藍より蒼《あお》き大空」に舞った人は、もうこの世に存在しない！　生まれてはじめて戦争で本当に流された血を見たのだ。「その純白に赤き血を、捧げて悔いぬ奇襲隊」と、梅本三郎作詞、高木東六作曲の歌『空の神兵』を子どもたちでさえ口ずさむ時代だった。

　しかし、熱田神宮の「大東亜戦争博覧会」は、橋爪紳也の『人生は博覧会　日本ランカイ屋列伝』（晶文社）にも馬場伸彦の『周縁のモダニズム　モダン都市名古屋のコラージュ』（人間社）にも出てこない。両者とも労作で１９３７（昭和12）年の「汎太平洋平和博覧会」にはページをさいているのに、わたしが夢中になった博覧会については記述がない。

　名古屋の大学へ新幹線通勤していたとき、わたしは熱田神宮の資料館に問い合わせてみた。係の人はすぐさま調べてくれたのだが、名古屋大空襲で資料は跡形もないとのことで、いまのところ、わたしの幼い日の記憶に頼って書いておくしかない。

いつかニュース映画の切れ端でも見つからないかと思うのだが、この世にそのようなフィルムが存在するとしたら、昭和17年の夏、熱田神宮近くの内田橋で眺めたハワイ・マレー沖海戦の仕掛け花火の記録も見てみたい。満艦飾の提灯船が入り江を通り過ぎると、その花火は夜空に一瞬の光芒《こうぼう》を描いて散っていった。それはわたしたちが強制的に親許《おやもと》を離れて学童疎開させられる寸前のことであったが、想像をたくましくすれば、名古屋勤務だった堀越二郎もその仕掛け花火を見ていたのではないかと思う。

なぜかこの映画では、父たちの上司である東條英機の二男、輝男の名まえが出てこなかったけれど、みんな見ていてもおかしくない、当時の戦勝大イベントだった。

このようなことを書いているのも、『風立ちぬ』という映画は、堀越二郎を主演にしたものではなくて、堀越二郎のやろうとしていることを夢中で見ている飛行機少年の眼で描けばよかったのにと思うからである。

おなじくヒットした国民映画ながら、降旗康男監督『少年H』（２０１３）のほうは、少年の視点があるので主人公を批評的にみることができた。

戦時下の航空機映画では、宮島義勇《よしお》撮影の『燃ゆる大空』（阿部豊監督、１９４０）が実写で航空機の飛行をとらえ、飛行機少年のあいだではベストワンだった。

原作は小津安二郎監督『淑女と髯』（１９３１）や五所平之助『マダムと女房』（１９３１）の原作を書き脚本も手掛けた、モダンボーイ北村小松である。

「日本空飛ぶ円盤研究会」で北村小松と親交のあった三島由紀夫は、北村の「決して朽ちない少年のこころ」を愛した。さらに小松左京も北村小松の著作を読んで、ＳＦ小説を書こうと思いたった。

科学技術的に日本の敗戦を予告して祖父を激怒させたわたしの父は、その一方で、犬を連れて散歩中に、空飛ぶ円盤が竹藪《たけやぶ》の横をかすめて消えていったと言って、家族の話題になったことがある。かたや三島由紀夫の記述によれば、空飛ぶ円盤の出現時刻を信じた三島と北村も、三島邸の屋上で、それぞれ東の空と西の空を担当しながら、円盤の飛来を待ち受けたそうだが、それはかなわなかった。

北村小松のごとき魅力的な人物について書きだしたら切りがないけれど、日本の映画人は『燃ゆる大空』のようなアナログの航空機映画の傑作を持ったうえで、次々に飛ぶことをテーマにした映画を作り続けているのだ。

もっとも近いところでは、油谷誠至監督の２０１３年秋公開『飛べ！ダコタ』がある。これは戦後まもない１９４６年１月、新潟県佐渡島に不時着した英国機ダコタを、島の人びとが再度離陸させるまでの、40日間にわたるヒューマン・ドラマで、もちろん飛行機が重要な位置を占める。

ダコタは今も名機として有名なＤＣ－３のことである。この映画についていた知人スタッフの話では、ベトナム戦争で使用され、現在はタイに保管展示されていた同機を、解体して船で日本に運び、ロケ先で組み立てて撮影したという。だから外観はダコタそのものだとしても、飛行シーンはすべてコンピュータ撮影によるもので、その点では『風立ちぬ』と同じく実写ではない。ウィリアム・Ａ・ウェルマンの『つばさ』（１９２７）やさきの『燃ゆる大空』などの実写撮影映画を見て育った飛行機少年とちがい、今のファンたちはコンピュータ撮影の精度を含めて飛行シーンを論じるのだろうか。

飛行機少年だなどと言っても、わたしたちの世代はまだ貧しくて、大学時代に飛行機で旅行する者はめったにいなかった。海外留学する学生だって船で行ったものである。

わたしも、１９５９年、東映に入社して、小林恒夫監督、高倉健主演の『高度７０００米　恐怖の四時間』の助監督になり、双発の旅客機に乗ったのが初めてだった。羽田から八戸《はちのへ》空港まで飛んだ飛行機の前で、美術部の林さんと記念撮影し、父に見せた。

　すると意外にも父はこのとき、自分はまだ飛行機に乗ったことがないと告白した。

「えっ、では戦時中、さっそうと飛行服を着こんで写したポートレートは何だったの？」とわたしが驚いて訊くと、「あれは零戦のテスト飛行に立ち会ったとき、飛行士のものを借りて記念撮影したのだ」と言う。「飛行機を作っていると、乗るのは怖いよ」と感慨ぶかげに呟いた父も後年、母と旅行する際には我慢して搭乗するしかなかったのだが。

　疎開していたとき、三州明治村の航空基地から編隊を組んで飛びたつ戦闘機を熱心に見上げていたら、突如、友軍機どうしが衝突し墜落していくのを目撃してしまった。それがトラウマとなり、『風立ちぬ』の零戦のテスト飛行はたのしめたが、戦闘シーンに入ると、いやになった。同時期、ハンブルク日本映画祭に招待されたときのみやげに美術館で買ってきたドイツ製の紙飛行機に、孫たちはわたしほど興味をしめさなかった。

「en-taxi」２０１４年冬号

第2章

映画のなかの街

故・石井輝男監督と筆者（1993年）

『ザ・タウン』

映画のなかに出てくる街を見るのが好きだ。アメリカのＢ級映画やフランスのヌーヴェル・ヴァーグ、かつての日本のプログラム・ピクチャーなど、低予算ゆえに大がかりなセットが組めず、街頭にカメラを持ち出し、そこにふさわしい人物を登場させて芝居を撮る。もうそれだけで見ていて嬉しくなることが多い。

とりわけカメラがやがては再開発で消えていくはずの路地裏に入っていくと、永井荷風の『日和下駄』を読んでいるような味わいさえあって、ストーリーを超えた楽しみが出てくるのだ。失われていくものに対する哀惜の念が人一倍つよいのかもしれない。

そんなわけで、『ザ・タウン』（２０１０）は題名を聞いただけで気になる作品だったが、そのまえに恵比寿ガーデンシネマがなくなってしまうという新聞記事を読み、そこで上映中のアルノー・デプレシャン監督『クリスマス・ストーリー』（２００８）とウディ・アレン監督『人生万歳！』（２００９）をあわてて見に行った。

２作品ともしみじみとした大人の映画である。前者のフランス北部の街ルーベも、後者のマンハッタンの街も、それぞれ住んでいる登場人物たちにある種のやさしさがあって、ロケ地の風景まで和やかに見えた。

続いて、ベン・アフレック監督の『ザ・タウン』の試写を見たのであるが、さすがにこの犯罪映画では、こんなアメリカの街には金輪際、住みたくないし、行きたくもないなあ、という気分になった。

舞台となったマサチューセッツ州ボストンのチャールズタウンは、わずか1平方マイルの街ながら、世界のどの一角よりも銀行強盗や現金輸送車強盗が多いというのである。「タウン」と呼ばれるこの場所の住民は、すべて犯罪にかかわっているかのごとく描かれていた。エンディング・タイトルで、とって付けたように、「この街には善良な人々もいる」という字幕が出たのには笑ってしまった。

だが、ベン・アフレックはボストン育ちで、どうやらこの街が好きでたまらないらしいのだ。街そのものに対する監督のきめ細かいこだわりが映画を見ているうちに観客にも徐々に伝わってくる。

観客というものは、自分が絶対安全なところにいて他人を眺めているわけだから、そういう意味では骸骨の仮面をつけた冒頭の銀行襲撃シーンからして、もちろん、この映画はエンターテインメントである。ベン・アフレックの傑作監督デビュー映画『ゴーン・ベイビー・ゴーン』（２００７）もまた、ボストンのドーチェスター地区を舞台にした幼児の行方不明に始まる犯罪映画であり、街の人々の協力なしでは仕上げられない作品だった。

さて、凶悪犯罪世界一の怖い街に生まれた主人公のダグ（ベン・アフレック）は、父が終身犯、母が行方不明という、これまた最悪の境遇に育ち、生きるために仲間たちと強盗を繰り返す日々を送っている。チャック・ホーガンの原作小説の題名はずばり、『強盗こそ、われらが宿命《さだめ》』である。

しかしダグはかつてプロ・ホッケーの選手として「タウン」から抜け出すチャンスもあった男である。街の少年たちのヒーローでもあった。バックプレイがだめだという、わずかな弱点のためにキャリアを挫折させ、絶望感からクスリで自滅しかけてはいるものの、心の底では今いる場所からいつか出ていきたいと願っていて、上昇志向のある青年である。

いっぽう仲間たちは、そんなダグのなかにやしなわれた犯罪に対する天性の才能を必要としていて、彼を絶対に手放そうとしない。仲間の頭脳であり、犯罪行為の参謀格なのだ。

とりわけ幼時から一緒に育ったジェムという乱暴者の、友情をはるかに超えたダグに対する執着ぶりは、映画ならではの説得力をもって観客の胸に切なく迫る。キャスリン・ビグロー監督『ハート・ロッカー』（２００８）で、イラク戦争の爆弾処理班のリーダーを熱演したジェレミー・レナーが配役されているのだが、その悪ガキぶりは死の瞬間まで「タウン育ちの強盗をする宿命」に殉じて、感動的ですらあるイメージを造形している。

何人も登場する「タウン」の犯罪者のなかにあって、ジェムだけは「神もゆるさない所業」を明確に自覚し、一刻も早いおのれの死を願っているようにさえ見える。彼の悪の人物像は、リチャード・ウィドマークやジャック・パランスの伝統を担い、常に鮮烈である。それでいてどこか憎めないのは、若いころの快楽亭ブラックに似て、マスクに甘いところがあるせいだ、と言っても映画好きのブラックはゆるしてくれるだろう。

そこへいくと、主人公ダグは、強盗先の銀行員クレア（レベッカ・ホール）を愛してしまい、犯罪から足を洗って、彼女と共に「タウン」を脱出しようとするのだから、そのぶん常識的で、映画的には損な役回りを、監督みずから演じているわけだ。

ダグは常に神の眼から見た完全犯罪を実行しようとする。それに対し、ジェムは人間の視点で完全犯罪を実行しようとするから、クレアがいくら魅力的な女であろうと、場合によっては抹殺しようと考える。

ともに「タウン」で育ち、切っても切れない仲だったダグとジェムも、クレアが登場することによって、考え方が二つにわかれる。巧い作劇術である。

クレア役のレベッカ・ホールはウディ・アレン監督『それでも恋するバルセロナ』（2008）でもそうだったが、映画の進行につれて魅力をかもし出すタイプの知的女優なので、ダグがいつのまにか彼女のとりこになっていくのは説得力があった。

ダグやジェムのように、昔からこの柄の悪い街で暮らしてきたタウン者（タウニー）に対して、クレアのようによそから来て、たまたま銀行などに勤めたりしている者のことを、映画のなかでは「トゥーニー」と言っているが、「タウニー」のダグが「トゥーニー」のクレアを愛してしまったことが核となって、物語は進行する。

そこで可哀そうなのはブレイク・ライブリーが演じるクリスタという、私生児をもつ女である。タウン者の彼女は装飾過多な衣裳を身にまとい、充分にセクシーであることによって、これまでダグの欲望を充たす対象だったのだが、生活のだらしなさもあって、クレアの出現と同時にダグに捨てられてしまうのだ。監督の前作『ゴーン・ベイビー・ゴーン』に登場する、自分の子どもより男と遊ぶのが好きな女、エイミー・ライアンもそうだけれど、ベン・アフレックは「だらしない女」を、それなりの魅力をもたせて描くのが実にうまい。

『ゴーン・ベイビー・ゴーン』はテーマが明快で、だらしない生みの親よりも、育ての親のほうがいいという主張が、最後にきちんと用意されている映画だった。主人公の私立探偵を演じるケイシー・アフレック（ベンの弟）は、滋味あふれる警部役を演じるモーガン・フリーマンの「育ての親」よりも、エイミー・ライアン演じるだらしない「生みの親」を、彼なりの人生観によって選択してしまったがために、愛する女アンジー（ミシェル・モナハン）から、人間の機微が分からない男として訣別されるのだ。古くさい固定観念をもった男の敗北の物語である。

両作品に出てくる子どもたちを見ていると、だらしない大人たちに向かって、いたずらに子どもなどつくるな、おまえたちだけでただ楽しんでいればいいではないか、と言いたくなるような環境が眼につき、アメリカの都市の頽廃《たいはい》ぶりを思わせるのだった。

ベン・アフレックはおそらくクリント・イーストウッドを先達として意識しているだろう。『ゴーン・ベイビー・ゴーン』の原作者デニス・レヘインはイーストウッドの『ミスティック・リバー』（２００３）の作家でもあり、省略した演出のテンポも共通している。

そしてなにより、さすが俳優出身の監督だと舌をまくのは、両者の配役の巧さである。俳優のもつ癖や可能性を知りつくしているのだ。『ゴーン・ベイビー・ゴーン』のモーガン・フリーマンとエド・ハリスの警官役の布陣といい、『ザ・タウン』のＦＢＩ特別捜査官を演じるジョン・ハムの、蛇のようにしつこくまとわりつく演技といい、記憶に残るものである。『ザ・タウン』ではほかにも、ダグの父親で刑務所にいるクリス・クーパーや、悪辣な生花店の親父を演じ、２０１１年64歳で惜しくも亡くなったピート・ポスルスウェイトなど、「タウン」の悪夢をかもし出す存在感をみごとに引き出している。

これまでの記述でもそれと知れるように、この映画のサブテーマはダーティな街からの「脱出願望」である。ベン・アフレックはかつて、マット・デイモンとともに脚本と出演を兼ねたガス・ヴァン・サント監督の『グッド・ウィル・ハンティング　旅立ち』（１９９

7）においても、主人公の異能ぶりとともに、住んでいる場所からの切実な「脱出願望」を描いていた。

やはりボストンの貧民街で育ち、父親をはじめとする大人たちの虐待を受けていた主人公のマット・デイモンには、数学の天才的才能とともに、閉ざされた心の持ち主であるというキャラクターが付与されていた。彼は悪友ベン・アフレックの心の支えと、ロビン・ウィリアムズ演じる、同じく貧民街育ちの精神科医の親身な助言のおかげで、やがて心を開く日が訪れ、恋人のいるカリフォルニアへと旅立っていく……。

ちなみにこの作品では、マサチューセッツ工科大学やハーバード大学の学生たちがいる品のいい街と、ダーティではあるが、それなりに人間味のある労働者街の対比がジャン＝イヴ・エスコフィエのカメラで的確に表現されていた。

かたや本作品での脱出すべき街チャールズタウンは、ロバート・エルスウィットの撮影によって、何度も繰り返される遠景の大俯瞰《ふかん》と、街から出て行くために渡らなければならないブリッジを斜め俯瞰で撮った構図がすばらしかった。ジョン・トール撮影の『ゴーン・ベイビー・ゴーン』でも同様のショットが目立ったので、この手法はベン・アフレック監督みずからの意図によるものだろう。

　カメラワークについていえば、不気味な尼僧に扮した車中の犯罪者たちをふと路上で見てしまう、街の少年のきょとんとした表情をとらえるショットも印象的だった。マーティン・スコセッシ監督と『ザ・ローリング・ストーンズ　シャイン・ア・ライト』（2008）というドキュメンタリーを撮っているエルスウィットのキャリアを思えば、なるほどと肯けるところではあるが。

　こういう書き方をしていると、この作品はB級フィルム・ノワールの佳作のように思われるかもしれないが、「タウン」を走りまくるカーチェイスや、クライマックスである大リーグ・レッドソックスの本拠地フェイン・パークの売上金強奪場面などを見ていると、日本映画では予算的にも、法律的にも、まず真似できないことを付記しておきたい。しかもそれを、コンピュータにたよらない、アナログ撮影で敢行しようとする点で映画的快感をよぶのである。

　ベン・アフレックは熱烈なレッドソックスのファンだというが、この球場はさきの『グッド・ウィル・ハンティング　旅立ち』ではロビン・ウィリアムズの教授が最愛の妻との思い出の日に、レッドソックスの大事な試合があったというエピソードとして使われ、こんどは凶悪犯罪の舞台となっている。ボストンという場所に対するベン・アフレックの特別な思い入れがよく分かった。

「キネマ旬報」２０１１年２月上旬号

懐かしい町『ゲンセンカン主人』

２０１９年11月末から翌20年１月にかけて、ラピュタ阿佐ヶ谷で「石井輝男　キング・オブ・カルトの猛襲」という回顧上映があり、私もトークによばれた。生前の石井監督とどんな話をしたのかが気になって、古い「シナリオ」誌を探し、対談を読んでみた。

内藤　この『ゲンセンカン主人』（１９９３）を初めて拝見したときには、ストーリーとセリフがつげ義春さんの原作の漫画の通りでびっくりしたんです。それというのも、石井さんの師匠、成瀬巳喜男《なるせみきお》監督の撮影台本がコピーされている中古智《ちゅうこさとる》さんと蓮實重彦《はすみしげひこ》さんの『成瀬巳喜男の設計』（筑摩書房）って本があるんです。これを見ると、もとの台本がバンバン直してあって、これは僕が助監督時代に見た石井さんの台本と同じだなと思って、成瀬さんの伝統なんだなあと感じたんですが、今回の『ゲンセンカン主人』に関してはほとんど原作通りというのは、どういうことなんでしょう?

石井　皆凄くメチャクチャに直して撮るんじゃないかと思ってたようですよ(笑)。でも、最初からそういう意図は無かったんです。つげさんには熱狂的なファンが多いでしょ、だから僕があんまり勝手な世界を作っちゃって違和感があるといけないなというのが一つあったし、あんまり直しちゃうなら、つげさんの原作を使っちゃいけないいんだっていう気持ちがあったのね。僕が今まで台本をバンバン直しちゃってたのは、オリジナルものが多いんですね。あんまり短くて膨らまさないと映画にならないという時は別にして、しっかりしたものをやる時にはちょっと違うだろうと。だから今回は、キッチリ徹底的につげさんの絵が動いてるというのを狙ったわけ。俳優さんにもそういうのがあったみたいで、佐野(史郎)ちゃんなんかも絵をよく見てて、ほんとに絵とそっくりみたいな所から始まるみたいな感じで。

内藤　それは随所にありましたね。もとの絵を動かそうとしたら、石井さん以上にうまい人は日本にいないわけですから。スーパー16ミリフィルムを35ミリにブロウアップしているわけですよね。縦横の比率は同じですけれど、レンズの種類なんかが違うから、フレームを合わせたりする時に、かえって16ミリで良かったとか……。

石井　16が正解だったなと、いろんな意味で思ってる。作業も含めて。つげさんの原作だから、豪華なホテルとかが出てくるわけでもない、ほんとに四畳半にちょっと板の間があってという下町的な風景でしょ。だから16は小回りが利いて良かったなあと。それとワイドレンズは意識的に、キャメラマンに避けてくれって言ってたんです。不自然な所にまで入らない方がいいから、狭い感じを狙ってくれってことで。なるべく詰めて詰めて撮るようにしたのね。

内藤　それを聞いて安心するんですが、ロケハンがしっかりしてありますよね。相当、付き合われたんですか？

石井　やりましたよ。徹底的に。ただ、時間が足りなかったんですよ。いつもより全然少ないんです。『網走番外地』（1965）の1作目はロケハンに2週間かけたね。今度は、3日間でハンティングやってくれっていうことだった。その前にプロデューサーとチーフが見てて候補を挙げてくれてたんですが。時間が迫ってきちゃって、当初夏の話だったのが、どんどん年末になってきたから、なんとかゴマかして撮れるギリギリ一杯になってきたんですよ。だからプロデューサーはあっち、チーフはこっちの方面、そして僕は僕で自分の車で見に行ったわけ。それが割合、大当たりになっちゃったんですよ。

内藤　ロケとロケ・セットのバランスがうまくいってるなあと。ゲンセンカンの建物はあまり手を入れなくても、ああいうのがあるんですか？

石井　あれは手入れしたんです。ゲンセンカンだけは撮影が何か所にも分かれちゃったんです。どうしても無くてね。借りる家も飾り出したら向こうはびっくり仰天なんです。こんなボロボロにされちゃ……って（笑）。

内藤　『池袋百点会』の古いアパートとか、井戸のある路地とか、ああいうのは全部ロケですか？

石井　というより、セットは一つもないんです。喫茶店も全部ロケ・セットなんです。

内藤　じゃあ、3日間でロケハンするのは大変だ。今度の映画を見て、非常に新鮮だったのは、成瀬さんの映画のように畳の上で坐《すわ》って会話するというシーンは、これまで石井さんの映画に無かったでしょ。だからこれはつげさんの原作を映画化するということで、石井さんが今までやってなかったけれど、一度はやりたかったことをしたのかなと思ったんです（笑）。『昭和俠客伝』（1963）とか、ああいうやくざの世界で出てくる畳とはまたちょっと違いますからね。ごく普通の人たちが畳に坐ってるというのは。

石井　おそらく初めてだろうと思うんです。先祖帰りしたかったんですね。

内藤　むかし僕が、助監督で『網走番外地・望郷篇』（1965）で石井さんについた時、混血の女の子のお母さん役の八代万智子《やしろまちこ》の芝居が気にくわないって、石井さん怒ってスタッフルームへ帰っちゃって（笑）。僕が一生懸命、芝居をつけて「どうでしょう、見てください」っていうことがあったけれど、今度の作品を見て、なるほどなあと思いました。もう一つ、正面からでなく、「斜め引き」っていうんですか、成瀬さん譲りだという。今度の映画ではどうなんですか？

石井　割合に、今回はつげさんの絵を尊重して、つげさんのアングルをしっかり作ったんです。つげさんのアングルがまた面白いんですよね。僕らが割るコンテとまた一味違う。映画の場合はこういうふうに引かないなあってとこあるんです。我々は、ついパターンでやるってことあるんですけどね。よく考えてるなあと思った。いろいろ勉強させて貰ったんです。

内藤　僕は石井組をやってたせいか、ここでドンデンに入るはずなのにとか（笑）。やっぱりあれは、つげアングルだったんですね。

石井　ロケ・セットで、本物使ってるでしょ、片側だけつげさんの絵のようにしておいて、ドンデンは逆に飾らないで黒幕を引いて撮ってね。だから黒幕バックと飾ったバックのカット・バックしてみたり、いろいろやってみたのね。違和感があったり、いろいろみんなから、クレーム出るんじゃないかと思って初号見たんだけど、誰も何も言わなかった。

内藤　予算的にはキツかったんですか？

石井　予算はキツかったけど、キツイ、キツイ出来ないって感じは一つも無かったのは、スタッフがみんな、すごくやる気のあるスタッフだったんです。演出部も、美術もすごくやる気でした。こっちのスピードに合わせて貰うのはとてもかわいそうだった。日数が無かったので。脱帽しましたよ。一つもナキが入らなくて、すごいなあと思いましたね。美術の丸ちゃん（丸山裕司）、すごく頑張ってくれたなあ。ゲンセンカンの建物なんか僕の想像以上によく飾ってくれましたよ。

内藤　『李さん一家』の二階建ての家がありますね。あれもちゃんといいアングルの家があったんですね。

石井　そうなんです（笑）。あれだけはもう無理してもオープン・セットかなあと思ってたんです。あんなの無いと思ってたから。それでも予算を考えると、なんとか本物を見つけたいと思ってたんです。だからどこに行っても、古いものがあると、車を止めて見てたんです。そうすると、ポコッ、ポコッと残っているんですよ。ただ、交通量からいってちょっと、とかいうのがあって。そのうちに下田のロケハンになって、あの場所はとりあえず3か所ぐらいの組み合わせで探してあったんですが、ロケハン3日目の最終日の夕方に、下田の町に入る橋を渡ってフッと何気なく見たら、『李さん一家』とそっくりの家があったんです（笑）。そこに行ったら、空き家だったんです。そこに勝手に住んでる人がいて、みんなでお辞儀して、おそるおそる交渉しようかと思ったら、向こうがスイマセンなんて出てっちゃった（笑）。

内藤　偶然とは！　映画の神様のめぐりあわせですね（笑）。

石井　空き家でしたから、どうにでもいじれるわけ。で、中を見たら、いろいろ部屋があるんです。それを『池袋百点会』のアパートにしたり、使い回しちゃったの（笑）。だから、そこがまるで撮影所になっちゃって。表が『李さん一家』で、中に入ったら『百点会』（笑）。だから移動しないで、そこで美術もまとまったからとても良かった。

内藤　この製作費が7千万円台でしょ。北野武監督の『ソナチネ』（1993）を同時期に見たんですが、武さんの映画は、予算があって悠々と撮ってる。いっぱい棄《す》てた画があると思うんです。満月のアップがあるんです。石井さんとか僕らみたいな映画ズレした人が見たら、月のアップなんて超望遠だから、ムーヴィーキャメラで回してたら多少ブレるわけですね。ところが全然ブレてないから、写真使ったなと思ったんですけど。やっぱり予算のある映画はこういうのをかえって写真でやるから、贅沢だなあと思うわけですよね。僕らなら多少ブレても、撮ったんだからと使ってしまうんだけど。それと比べると、『ゲンセンカン主人』はそういうところは一切なくて、頑張ってるなあと（笑）。ただ、『紅い花』なんかは、モノクロで撮れば、漫画と同じだからいろんなことを観客に想像させられるけれど、カラーで撮らなきゃならなかったんでしょ。石井さんはカラーでやってうまくいったと?

石井 うまくいったとは思ってないけど。ほんとは、パートカラーにするという案もあったんだけど……。

内藤 たとえば、画面全体がモノクロで花だけ紅くしてみるとか。誰しも考えることですけど。

石井 ただ、いろいろ考えたんだけど、そうすると逆に狙い過ぎてるとかいう感じがしたのね。で、非常にストイックにもなって、さりげなく行こうと。

内藤 なるほど。たとえば、キュウリ畑の場面なんかでも、実際は夏に撮影してるわけじゃないから。キュウリ畑は作り物でしょ。細かいことだけれど、美術も大変だ。

石井 それと、12月に真夏の話を撮ってるでしょ。だから『紅い花』なんかも、ここからキャメラを引きたいなあと思っても、枯れ葉や枯れ木が出ちゃったりして、まずその片付けから始まるわけね。全部ボロ隠しやってからなの。だからあんまりボーンと引くとねえ、バレる。アングルやなんかも当然限定されるんですね。ワンカットごとに枯れ葉を全部掃いて、こっちが持ってったグリーンを被せるって作業で。タッタッタと撮影できないんです。12月に撮ってるから辛かったですね（笑）。

内藤　甲府駅なんかも、実際の甲府駅じゃないですよね。実際は堂々たる駅だし。

石井　これ駅かなあっていう感じのでかいデパートなんですね。でも甲府駅から一駅先に行ったらちょうどいいのがあったんです。

内藤　『網走番外地』の時にも、網走駅が北浜駅っていう近くの駅でしたね（笑）。

つげさんは、現実にあるものを漫画に描いていらっしゃる時もあるけど、甲府駅も本物を描いてるかというと、そうでもない。不思議なリアリズムですから、ロケハンも大変ですよね。

石井　つげさんの絵で面白いのは、『池袋百点会』にしても、これからみんなで頑張って勧誘に行きましょうなんていう時に、集合場所が墓場なんですね。墓場に集合するっていうのも面白いんだけど、そこにまたガス灯みたいなのが立ってるんです。外国人墓地的なガス灯が。絵見てるだけでも、これは面白いなあと。で、ガス灯運び込んでやってみたら、あんまりハッキリ写ってなかったけど。

内藤　岡田奈々がダンスをするところは、とてもいいし、ガス灯がすごく効いてる。

石井　ディテールは写ってないけど、偶然、外国人のお墓もあったりして、そこにガス灯を立てたら、そんなに違和感なくなったんですね。

内藤　四つの話のつなぎを青林堂の編集部のシーンでつないであるわけだけれど、つげさんの奥さんの藤原マキさんがお書きになった『私の絵日記』なんかでつなぐと面白いかなあと思っていたんですが。『紅い花』っていうのは、奥さんの自叙伝的な話なんだっていうのを聞いたりしていたから。こういうつなぎが石井さんにとっては一番良かったということなんですか？　つげさんの原作の制作順ですよね。

石井　そうですね、まあ。制作順に並べたんです。そう嘘じゃない、つげさんの青春日記だっていう感じで。強引に言うと青春映画なんですよっていう感じで。

内藤　『ねじ式』っていう作品を映画にしようと思われなかったんですか？

石井　最初は入っていたんですよね。

内藤　同一フレームで頑張ってみようという意識でやったら、レールが曲がってるシュールな画面だから大変なことだったろうなと思いますね。

石井　そうなんですね。予算も日程も決まって迫ってきたら、会社の方が信用してくれないわけ。僕は『ねじ式』も予算に入ると頑張ったんですけど、会社は入らないとみてたんじゃないかなあ。だから、もっと集約して、いっそ50分映画にしたらどうかという案も出たんです。さかんに説得したんですけど、日程は別にして、予算から計算して『ねじ式』はそんなに簡単に撮れない。お金が一番かかる作品ですよね。で、妥協して、向こうが言うように、これが成功したら第2作目でやればいいじゃないかって（笑）。

内藤　これが成功したらもう一本、つげ原作でやってみようという気があるんですか？その時にもストーリーは原作の通り行っちゃいますか？

石井　いや、今のところ分からないですけど、つげさんの『貧困旅行記』っていうのがあるでしょ。あれも面白いから……。今度もどの作品を入れるかというのも悩んだんですけど、僕の好みからすると『隣りの女』なんかやりたかったんです、最初は。

内藤　最初、僕が書いた企画書をヘラルド・エースに持ってった時には、『もっきり屋の少女』とか『隣りの女』、『枯野の宿』とか『義男の青春』とかも入ってた。ぜひ、ヒットしたら次回作を撮ってください。

石井　やりたいのが、沢山あるんですよね。なんとか損しない程度に入ってくれれば、次も挑戦できると思うんだね。

内藤　今回はつげさんの漫画のフレームにこだわってるわけですけど、その辺が小説を映画化する時とちょっと違いますよね。二重の緊張がありますね。

石井　そうなんですよ。それでつげさんの漫画は、ライティングもしっかり描いてあるのね。絵をちゃんと見ると、ハイライトがこっちから来てるなってことがしっかり描いてあるんです。だから、ごまかせない。いいかげんにパッと当てて撮るわけにいかないんです。

内藤　予算があればセットで撮りたかった？

石井　ほんとは、セットじゃなきゃ出ないというのがあるから、両方使いたかったですね。『ねじ式』をやるとした場合、セットで撮りたいシーンが沢山あるんですね。そうするとお金が沢山かかる。

内藤　当然、線路とか、ひょっとしたら海だって……。

石井　フェリーニの作品であるでしょう。不気味な魚ともなんとも言えないようなものとか、不思議な世界に入っていくところとか、カラーライティングも含めて不思議なムードで撮りたいでしょ。

内藤　いま、大学に出講してるんです。画像設計のことで、この宣伝用サンプルビデオを借りて『紅い花』を漫画と比較して見せたんですが、後から、この不思議な話はなんなんですかって、他学科の聴講生に訊かれたんです。つげ義春といったら、今でも学生たちなら、みんな知ってると思って、講義してたんですけど。

石井　そうですね。大体つげさんをよく知っているのは団塊の世代なんですね。だから、企画を通す時にも大変だったんです。

内藤　つげ義春をあまり知り過ぎてる人だと、漫画だけでそっとしといた方がいいんじゃないと。これは常識ですよね。もう一方は娯楽大作をいっぱい作った巨匠の石井さんとはいえ、好きなことをやられちゃったら、どうなるかと怖がる人ですよね。

石井　みんな、怖がっちゃうんですね。なんだか、さっぱり分からない。したがって、お金は出せないと。そしたらセディックっていう不思議な会社があって、そこが乗ってくれたんですね（笑）。分かるとか分からないとかいう言い方になると、つげ義春作品、特に初期の作品は成立しないんですね。『無能の人』とか『隣りの女』とか、その線に入れば、みんな分かるんです。松竹大船がやってもおかしくない。

内藤　好きな作家の、セリフ一ついじるのもイヤだというのはありますか？　僕も『スタア』（1986）の時に、田中《たなか》小実昌《こみまさ》さんに「もうちょっと監督がいじったらいいじゃないか」って言われたんです。『俗物図鑑』（1982）は、お金が無かったから無茶苦茶にいじったところがあるけど、セリフだけは変えたくないと思ったんですが、あれは何ですかね？

石井　それは、その人の生理にこっちが入っちゃったのかもしれないですね。このセリフは言いにくいなあ、というのが映画の世界でありますよね。役者は役者で自分なりにコナした言い方でしゃべる時があるんですが、それはちょっと違うと。とても言いにくいけど、つげさんの世界に入ってスンナリ言ってみてって頼むんです。そしてヌケヌケと言うとちゃんと絵の中に入るんですね。入るんですよ。

内藤　それは落とし穴かもしれないけれど、自分としては、そっくりにセリフを言わせてみようと思ってしまうんですね。不思議に無防備になってしまう。石井さんにしてそうなんですね（笑）。佐治《さじ》乾《すすむ》さんとか、『顔役』（1965）なんて笠原和夫さんでしたよね。

その台本をこんなにいじっちゃってと（笑）、助監督時代に思いましたけど。それが今度は全く逆なんで。

石井　抵抗感が無かったですね。こっちが入りきっちゃったせいもあるけど。

内藤　土方巽《ひじかたたつみ》さんがおやりになった、タイトルバックが素晴らしいのがありましたね。

石井　『元禄女系図』（１９６９）かな。

内藤　あれなんか、土方さんのアイデアに、石井さんが改変を加えてないでしょ。タイトルバックの中でベストワンを挙げろって言われたら、あれを挙げますけど（笑）。カラクリとしても、すごいですよね。

石井　音楽家が乗るんですよね、ああいうのは。

内藤　ああいう好きなものを撮るという時には、まったく無防備でも、いいことがあるんですね、その通りやるということは。だから、監督というのは、不思議な仕事ですね。人のものを切りまくってみたり……。

石井　素直になったり（笑）。揺れが激しいんです。シナリオライターに怒られちゃう。

内藤　別に悪気はないんですね。いじりまわしたホンを書いたライターが嫌いってわけじゃないんですね。井手俊郎さんと成瀬監督の関係だって、嫌いだとは思えない。それでもあんなにいじっちゃうんだから。

石井　それは成瀬先生もおっしゃってましたね。自分で書いちゃった方が早いんだよって。だけど、そうじゃなくて、ライターとのやり取りが面白かった。かなり著名なライターとやってても、「女くさいねえ」なんて言いながら、木下恵介さんのホンの時も先生が切っちゃったからね。もうすごいですよ、その切り方が。

内藤　成瀬さんとライターとの間はどうだったんですか？　デザイナーとはものすごく、うまくいってたようですが。

石井　ライターには、ご自分がホンを書けるから厳しかったですね。でも、そんなワサワサしないで、先生の意見で撮ったみたいですよね。

内藤　我々からみれば、井手俊郎さん、水木洋子さん、田中澄江さんとか巨匠のライターとおやりになってるわけだから、大変なことかと思ったんですけど（笑）、そんなことはないわけですか？

石井　出来上がりを見れば納得ということじゃないのかなあ。

内藤　石井さんのアングルとかは、師匠の成瀬さん譲りかなと思ったんですが、今度の映画でも『李さん一家』で子どもたちが食べるシーンで、細かいカットバックが独特のリズム感で入りますよね。あれは誰かの影響っていうのはないんですか？

石井　影響っていうのはないんですけど、すぐキャメラでも、成瀬ポジションと小津ポジション、清水ポジションがあるんですね、なんとなく。カットバックは、結局、自分の生理ですね。

内藤　しかし、影響というのはこわくて、僕なんかも時間がなくなると、石井さんの手法で凌いじゃおうとかあるんですよね。追いつめられると師匠譲りの何かが出るんだなあと（笑）。

石井　よく僕の友人なんかでも、ゆうべ寝ないでコンテを書いたとか言うんですけど、僕は全くそういうことないですね。コンテなんか心配しないんですね。全く生理的にそうなっちゃってるから。もっと違うこと考えてますね。このシーンのテーマは何だろうとか。技術的にどう撮ろうかなんてことは考えなくてもいいんです。それで現場行って、ふと気がつくと、成瀬先生がやってたポジションの通りに流して、割ってんですねえ。

考えるというより生理的にパッとやってるわけです。

内藤 まあ、習った文章ですよね。

石井 そう。実験済みで間違いがないわけだから（笑）。

内藤 いや、よく分かりました。石井さんはこの映画が映画の仕事としては14年ぶりですって？　僕なんかは立場上、何か絶えず働いてないといけないんですが。石井さんはボヤーッとしてるのは精神的にそんなにしんどくないですか？

石井 ああ、しんどくないですね。ダラダラダラダラダラとめどもなく遊んじゃうんですね。

内藤 映画の黄金時代に仕事をしたからですね（笑）。

石井 ドライブとか旅行とか読書とか、いろいろやることあるでしょう。それと、あんまり何をやろうなんて計画なしでボーッとしてるのが好きなんです。そういう時、割合幸せになっちゃうんですね（笑）。だから、14年ぶりの仕事っていっても、どうってことないんです。普通の人と感覚が違うのかもしれないけど。時間のたつのが早くて。

内藤 だから14年がアッという間に（笑）。

石井 そう。つい昨日までやってたような感覚なんですね。だから好きな本を2、3冊買ってきて、徹夜して読んでも何の制約もないんだと思うと幸せなんですね。簡単に幸せになっちゃうから。

内藤　撮ってないと、精神状態がしんどいという人がいるけど、そんなことは実はないんですね。食べられないと、しんどいだろうけど。

石井　ないですねえ。ただ、ビフテキ食べようと思うと大変だろうと思うのね。コロッケ食ってるぶんには、今は食えないってことはないんですよね。そんなお金いらないしね。だから旅行でも、目的地があってスケジュールがあるって旅行なんて嫌いなんですね。着いちゃったらつまらない。目的地に一刻も早く着きたがる奴と一緒に旅することがあるでしょ。嫌になっちゃうのね。そうじゃなくて、その途中、過程が面白いのに。ドライブでも、目的地はそう大したものはないんだってことがよく分かるから、地図を用意して行かない。自分の見当で、パッと行っちゃって、やたらにしょっちゅう道を訊くわけです。すると時々、嘘言うわけじゃないんだろうけど、デタラメ教えてくれたりして、とんでもない所に行くことになるんです。で、また訊くんです。でも、そこに何か面白いことがありそうな気がするのね。だから目的地に着くまで、人の３倍も４倍もかかるんです（笑）。仕事の時は1分も惜しむけど、自分の時間の時には、時間を実に贅沢に使うんです。お金は使えないけど（笑）。

内藤　昔は忙しくやってましたもんね。

石井　そうねえ。東映時代は忙しかったもんねえ。でも、そういう中に入っちゃえば、何本続いたって、いくらでもできるんです。

内藤　のんびりしたといえば、シナリオ・ハンティングで天草へ行った時ぐらいですね。撮影はいつも何か追いまくられてたという気がしますね。

石井　ただ、ロケハンは時間を使って大事にしてた。現場はバタバタやってたけど。

内藤　今度は、いつ撮ろうとか具体的なプランはあるんですか？

石井　いや、具体的にはないんです。今度の映画で、出資者が損しちゃいけないなあというのが願いなんです。損しないで少しでも儲かれば、またやる気が出るでしょ、向こうも。お金出して損するっていうんじゃ、誰もお金出さなくなっちゃうから。今、なかなか元が取れないようだから。

内藤　金集めのうまい奴だけが撮れるというのじゃ、つまらないですね。映画で収益をあげて次を作るという正規のやり方がいい。

石井　お金だけ出させて、あとは知らないという態度もあるけど、お金出す人の身になると胸が痛いでしょ。僕が成瀬組で教わったのは、やっぱり自分のお金なら無駄遣いするけど、逆に会社のお金は無駄遣いしないというやり方だったのね。天下の成瀬組だから、すごい贅沢してるかなあと思うと、そうじゃないんです。仕出しの一人にいたるまで、先生はうるさかったね。無駄は許さなかった、ほんとに。

内藤　5時になったら、なんとか撮影を終了しようとしたり、朝9時になってすぐ撮影できないと機嫌がわるいとか、例の本にありましたけど（笑）。

石井　そう。僕が助監督の時に、エキストラを何人歩かせるかと考えていた時、エキストラが多いのが先生は嫌いな方だったから、バスの中に隠してたくらいだったね。先生はご馳走するのが好きだから自分のお金はバンバン使うんだけど。そういう意味でも、偉い人だと思ったね。人のお金だと幾らでも使うというのは、卑しいもんねえ。

内藤　今度の映画はうまくお金を使っているなあと思います。助監督もいいみたいだし。

石井　プロデューサーと助監督がお金の使い方がうまかったですね。二人が、しっかり画面にかかるようにお金を使ってました。僕らが教わっちゃうぐらい。

内藤　原作のつげさんは、この映画にも出てますけど、あの方は映画をごらんになってどうだったんですか？　僕もかつて、原作者の筒井康隆さんが神戸から池袋の西武まで『俗物図鑑』を見にきた時には、ドキドキしちゃったんですが。

石井　僕は、つげさんに怒られちゃったら、もう身も蓋もないと思ってたんですが、どうやら、いいよってことだったから、ほんと助かりましたね。

内藤　ご自分も出てるんだから、乗ってらしたんですね。僕も筒井さんに、映画を見終わってから「次は、僕がお金出します」って言われた時は、ほんと嬉しかった。

石井　ただ、みんながやる気になれば、何億の製作費をかけた映画のように見せることも不可能ではないように思いますね。

（対談を終えて）

この対談のことで「シナリオ」編集の児玉勲さんから電話があったとき、石井さんの新作『ゲンセンカン主人』について、わたしはすでに「映画芸術」誌の座談会に参加していることを言い、それを読んだうえで再度連絡してくださいとお願いした。何日かして、予定通りいきますということで、石井さんとお話しすることになった。

そこでわたしはあらかじめ石井さんにお聞きしたいことをノートにして対談にのぞむことにした。というのもワイズ出版から出ている『石井輝男映画魂』と『西河克己映画修業』を読み比べてみると、西河さんの方は自分で資料も用意して全面展開なさっているのに、石井さんはといえば、どうもインタビュアーのペースで話が進行しているように思えたからだ。

だが案ずるほどのこともなく、石井さんが外見内実ともに若々しいせいか、わたしまで20代の助監督にもどったような気分になり、ノートはそっちのけで話しこんでしまった。談話室のキープを1時間延長し、対談終了後も近くのビアホールで閉店まで腰をすえることになったわけだが、近ごろ他の映画監督とこんなに現代映画について語り合ったのもめずらしい。

「シナリオ」1993年8月号

第3章

好きな映画のことだけを

「キネマ旬報」誌の２０１４年６月上旬号から２０１９年８月下旬号まで、６年にわたり、１１１回、外国映画のレビューを書いた。★の多い、気に入った作品をしるしておきたい。

ウディ・アレン監督『ブルージャスミン』（２０１３）

『ミッドナイト・イン・パリ』でウディ・アレンは１９２０年代パリのアメリカ人を郷愁に満ちてやさしく描いたけれど、現代アメリカのセレブを対象にした本作では、一転、虚飾と俗臭にまみれた、いやなアメリカ人として演出している。好きな女優のケイト・ブランシェットを、ひどく酷薄な女に仕立てたのだ。フィッツジェラルドとゼルダの凋落が人々の胸をうつものだったのに比べると、本編のヒロインには、優雅さが足りない。ウディは現代アメリカのセレブが嫌いなのだ。

ジャスティン・チャドウィック監督『マンデラ　自由への長い道』（２０１３）

伝記映画はその人物のイメージ形成に終生、影響を与えてしまうので怖い。しかも主人公がマンデラでは教科書的な挿話の連続かもしれないという危惧もあった。だが、イギリス出身の監督はマンデラより過激な若者たちも公平に描き、獄中で農作業をしているマンデラに向かって、「トマトを作っている老人なんかもう無用だ」と罵倒の言葉を投げかけさせている。マンデラ役のイドリス・エルバは老いてからの演技がシブく、ウィニー役のナオミ・ハリスは憎しみの表情が美しかった。

ジャ・ジャンクー監督『罪の手ざわり』（２０１３）

現代の中国で実際に起きた４つの事件の映画化である。日本のやくざ世界の実録ものよりも観客を不安に陥れるのは、登場人物たちが貧富の格差や固定化した社会体制に日常的に苦悩する等身大の男女だからだ。そこで、次々にふるわれる暴力もわたしたちが近い隣国人として共有できる怒りと憎しみに裏付けられていて、ときに爽快感さえともなう。だが、見終わったあと、しばし席を立てないのは、この広大な国と人びとの行く末を思い、そのリアルな現実感に打ちのめされるからだ。

シェーン・オサリバン監督『革命の子どもたち』（2011）

撮影所の帰りに武蔵大学で上映中の『赤軍－PFLP・世界戦争宣言』を見てから半世紀、あさま山荘や、よど号ハイジャック事件を扱ったドラマにはいつも暗澹《あんたん》たる気分になった。しかし、重信房子とウルリケ・マインホフの子どもたちが高い明度をもって語りかける本作だけは見てもらいたいと思って高得点をつける。8歳になった重信メイに、「そろそろ日本赤軍の娘だと教えようか」と相談する大人たちに向かい、彼女が「そんなこともう知ってるわよ」と言うくだりには笑った。

バーナード・ローズ監督『パガニーニ　愛と狂気のヴァイオリニスト』（2013）

音楽映画に必要なのは贅沢な感じであるが、本作はその条件を満たしている。主役にデイヴィッド・ギャレットをもってきて、演奏そのものが華麗だ。主要舞台の霧深いロンドンの街も一幅《いっぷく》の絵になっていて、2時間余を退屈させない。パガニーニとウルバーニの関係が現代のロックスターと悪賢いマネージャーの関係になぞらえすぎているという意見もあろうが、ケン・ラッセルに献辞をささげているだけに、タイムズ紙の生意気な女性記者にいたるまで毒気があって魅力的だった。

ノア・バームバック監督『フランシス・ハ』(2012)

都会美は哀愁だということが実感できて、映画を見たあと、いろいろ語り合える作品。ウディ・アレンやジム・ジャームッシュの系譜に連なるものだが、彼らの映画ほど笑えないのは描かれているのが不況時代の若者たちだからだろう。主人公フランシスの親友ソフィーが東京はつまらないと言うが、ニューヨークも金のことばかり気にしないと生きていけない街だった。フランシスも挫折の連続で切ないが、それでも短期間とはいえ、憧れのパリには行ってみるという根性をしめす。音楽の選び方にセンスあり。

クリント・イーストウッド監督『ジャージー・ボーイズ』(2014)

バードやセロニアス・モンクを映画化し、ジャズのシブいところを描いてみせたイーストウッドが一転、ザ・フォー・シーズンズの世界をどう撮るのか、大いに期待したが、みごとな60年代の青春映画になっていて、ポップスが流れ、当時のステップで若者たちが踊るたびに、懐かしさがこみあげてきた。後半は青春のツケがまわって苦い話になるけれども、クリストファー・ウォーケン演じる音楽で涙を流すギャングが相談にのって、大丈夫！アメリカ映画の美点を久しぶりに見た。

グザヴィエ・ドラン監督『トム・アット・ザ・ファーム』（２０１３）

少しは心当たりがあるものの、なぜこんな目にあわなくてはならないのか。そんな人間の不安を突いて、初めから終わりまで、サスペンスと恐怖に満ちた仕上がりである。カフカの『城』のような文学的味わいもあるのはブシャールの原作戯曲のせいだろう。リズ・ロワ演じるアガットがやさしい慈母のように見えて、かえって怖い。獣じみた、怖い男にＵＳＡと書かれたジャケットを着せて、「アメリカにはもううんざりだ」というエンディングミュージックが流れるのも、何だかおかしい。

ラッセ・ハルストレム監督『マダム・マロリーと魔法のスパイス』（２０１４）

国を越えたスタッフ・キャストの熱意が伝わってくる娯楽篇。ミシュランの星の数なんて余計なお世話だと思っているひとも、美しい南仏の田舎町でレストランを営むマダム・マロリー（ヘレン・ミレン）や、インドから政治的理由でここに流れ着いた、料理好きな移民青年の希望の星だと思い、楽しんでもらいたい。マダムの店の前にできたインド料理店を軽く見下していた彼女、インド青年ハッサンが作るハーブ入りオムレツに驚嘆。その料理シーンの撮り方が実に美味《うま》そうで、ミレンの演技も役柄にぴったり。

ベネディクト・エルリングソン監督『馬々と人間たち』（2013）

冒頭から馬のたてがみや走る姿をやけに官能的に撮るなあと思っていたら、やがてその必然性が分かった。古代神話のような、現代離れした物語のなかで、エロチシズムが展開。これはもう笑うしかないと見ていると、1本の酒のために愛馬と共に命を賭ける切ないエピソードが続いたりして、映画の先が読めない。面白すぎる話のなかに、ドキュメンタリーとしても、よく撮れたと感嘆するショットが満載なので、うるさ型にもおすすめ。馬が駆ける音響や、音楽ともによし。

エリック・クー監督『TATSUMI マンガに革命を起こした男』（2010）

「なぜ、日本人は辰巳ヨシヒロを知らないのか」という映画宣伝のコピーを見て、「ガロ」などを読んできた世代のものは、一応、目を通してきただけに一瞬ムッとするが、一人の漫画家を通して日本の戦後史を見つめるエリック・クーの手腕にはやられたと思うはず。原作を基本的にいじってないのが面白さの要因。子どもから大人のマンガへの移行のポイントに「はいってます」という公衆トイレの汚いらくがきを使っているのも巧い。全体としては、シンガポールの街のように清潔だが。

アレックス・デ・ラ・イグレシア監督『スガラムルディの魔女』（2013）

バッドテイストの「趣味」があわない人は受けつけない映画だ。巻頭はキリスト教国スペインのマドリード市街。十字架を背負ったイエスに扮した男が歩いていき、やがて銃を抜いて銀行強盗をする一味と化す。あとに続く銃撃戦を生きのびた者たちがたどり着いた所がバスク地方の魔女たちの村、スガラムルディ。ダリやブニュエルを生んだ国だから予想はしていたが、それにしてもラテンの肉食系女性のグロテスクさは怖い。彼女たちは群れをなし、弱い男たちに襲いかかる。悪夢だ。

ロマン・ポランスキー監督『毛皮のヴィーナス』（２０１３）

ヨーロッパで小規模なメンバーで作るポランスキーの映画は、微妙な味があってどれもいい。若い頃のポランスキーにそっくりなマチュー・アマルリック演じる舞台演出家は、マゾッホを原作に選んだものの、自分がまさか女優とマゾの関係に陥るとは思わなかったろう。オーディションを受けにきたエマニュエル・セニエには知性のかけらもなく、下卑た女だったからである。それが次第に高慢な貴婦人に見えていくところがサスペンスフル。西欧文化のフェティッシュな描写もみごと。

ジャン＝リュック・ゴダール監督『さらば、愛の言葉よ』（２０１４）

アメリカのインディーズ系の雑誌にゴダールが３Ｄカメラを前に、咥《くわ》えタバコで座っている写真が掲載され、一日も早くこの映画を見たいと思っていた。はたしてゴダールは初めてカメラをまわすときの少年のように喜々として３Ｄ映画を撮っていた。男と女、森に咲く花々、世界を見つめ、さまよう犬。みんな平等にカメラにおさまり、いつもの強烈なサウンドと哲学的ナレーション。次のショットはどうなるかと、サスペンスが途切れないのだから、あっというまの1時間超で、わが青春のヌーヴェル・ヴァーグ健在。

アラン・レネ監督『愛して飲んで歌って』（２０１４）

アラン・レネが91歳の遺作までスタイリッシュであったことに、まず敬意を表したい。『ゴドーを待ちながら』のような不条理劇かと思って見ているうちに書き割りの絵をリズミカルに使った笑劇になってきて、登場人物それぞれの人間的悩みなど、最後には軽快に吹っ飛んでしまう。『夜と霧』や『ゲルニカ』で出発した巨匠の作品がこのようにして終わるのは嬉しい。メイン舞台の背景がカーテンで、その奥行きを想像させる。スタッフ、キャストがベストをつくしているので、メイキングがあったら見たい。

クリント・イーストウッド監督『アメリカン・スナイパー』（２０１４）

イーストウッドは現代アメリカの光と影を切り取る監督だ。題材のイラク戦争が一段と身近になった日本でも大ヒットするだろう。「神、国家、家族」のためにスナイパーとして戦った伝説のヒーローが、映画の準備中に戦争の後遺症で精神を病んだ青年に射殺されたこともあって、主人公に感情移入した作品だ。最後のタイトル部分も哀悼の意を表するサイレントになっている。敵対する元オリンピック選手の狙撃手や暗殺者の心の闇はイーストウッドにあらためて映画化して貰いたい。

デイミアン・チャゼル監督『セッション』（２０１４）

名門音楽大学の教師を演じるＪ・Ｋ・シモンズがチャーリー・パーカーやウィントン・マルサリス以上のジャズマンを育てるのだと言って、新入生のマイルズ・テラーたちをしごき倒す。ジャズをめぐる物語を読むのが大好きな私には、こんなＳＭじみた物語がアメリカの音楽教育にあるとは到底思えないのだけれど、「これに耐えられない奴はロックに行け！」とわめき散らす、悪夢のようなシモンズが現れるのをいつのまにか待っている自分に気づき、ラストシーンでは計算の確かさに舌をまいた。

ダヴィド・オールホッフェン監督『涙するまで、生きる』（2014）

アルジェリア戦争に不条理にも巻き込まれた教師の物語。ヴィゴ・モーテンセンが得意の語学力を活かし、カミュ原作にある正義への「好み」をもった男をみごとに体現していた。主人公とレダ・カテブの演じるアラブ人は緑のない、岩肌と砂漠の殺伐とした土地を終始さまようのだが、日が暮れ、月が上るのを見ているうちに、監督がここを舞台にしたのは、たんなる西部劇趣味ではないことが分かる。カミュも砂漠について、「空虚、倦怠、無関心な空」、この場所の誘惑とは「孤独」であると語っていた。

ダン・ギルロイ監督『ナイトクローラー』（2014）

ギレンホールが演じる事件カメラマンの孤独な部屋には一冊の本も見当たらない。彼は生き方のすべてをインターネットとテレビから学んでいるからだ。それでも口は達者で、人をひきつける。新しい人間像の登場である。テレビの視聴率競争の裏面を描く素材ゆえ、映画ならではの企画だが、あまりにも過激な取材方法には思わず笑ってしまう。女性ディレクター役のレネ・ルッソがこの業界にいかにもいそうな存在感たっぷりで、独特の色気を発揮。ロサンゼルスの夜景の撮影も美しい。

ロン・マン監督『ロバート・アルトマン　ハリウッドに最も嫌われ、そして愛された男』（2014）

ハリウッドに抵抗を試みたニコラス・レイやアルトマンに関する評伝や映像は常に興味深い。この映画も家族の協力があったにせよ、ポーリン・ケイルの批評から『ポパイ』を罵倒する映像まで、公平にとりあげていて、なによりもアルトマン自身の言動が愉快である。著作権の関係か、『ジェームズ・ディーン物語』をめぐる映像は再見できなかったが、ヒッチコックが認めたという初期作品が出てきて笑えた。思えばニコラス・レイもアルトマンも、周辺の演技陣とヨーロッパの支援が力になったのだ。

オリヴィエ・アサイヤス監督『アクトレス　女たちの舞台』（2014）

時の流れに耐えていく女優像をジュリエット・ビノシュが誇り高く演じて感動的。脚本監督のアサイヤスは劇中劇も含め、マネージャーの感性や、スキャンダルまで宣伝に利用する新進演出家をキメ細かく描いている。マネージャー役のクリステン・スチュワートが実にリアルだ。スイス山岳地帯の「マローヤのヘビ」現象も35ミリ・フィルムの使用で美しい。ビノシュ演じる大女優はＳＦ映画をバカにするところがあるのだけれど、最後に誠実なＳＦ映画の監督が登場して、彼女に出演を要請するのが秀逸。

サリク・アンドレアシアン監督『クライム・スピード』（2014）

スティーヴ・マックイーン主演の『セントルイス銀行強盗』をアルメニア出身のアンドレアシアンが現代化して監督したもの。「アメリカで危険なものは軍隊よりも銀行だ」という、ジェファーソンのことばを引用したセリフまであって、富裕階級への憎しみの激しいリメイク映画だ。プア・ホワイトの兄エイドリアン・ブロディと弟ヘイデン・クリステンセン、さらに弟の恋人ジョーダナ・ブリュースターの間の感情の流れも微妙で哀切。撮影もアメリカン・ドリームの崩壊を暗示するような風景を的確に挿入してみごとだった。

トーマス・リーチ監督『写真家ソール・ライター　急がない人生で見つけた13のこと』（2012）

畏友ロジャー・パルバースと同席して見たせいか、ユダヤ人写真家ライター老の芸術と生活空間にすっかり感情移入。挿入されているファッション写真も前衛的ですばらしいが、雑然とした仕事部屋や近辺を歩く彼の自然なたたずまいが魅力的。呟く言葉もまるで老子の言葉のように深くて優しい。しかしヨーロッパから彼の映画を撮ろうとしてきた監督には、ラッシュを見てつまらなかったら、映画を完成させないと、きびしく宣言する。ＯＫが出てよかったね。字幕の翻訳は柴田元幸で、気合いが入っている。

ベルトラン・ボネロ監督『SAINT LAURENT サンローラン』（2014）

サンローランがいきなりシャネルのモデルに向かい、「自分のモデルになってほしい」としつこく口説くところからして、ギャスパー・ウリエルはいかにもファッション界に君臨する男になる人物らしくて適役。晩年はヘルムート・バーガーが演じるのだが、ヴィスコンティ映画へのオマージュまであって、ファッションの細部がしっかりしている。脚本構成もいわゆる伝記映画ではなく、虚実皮膜のバランスがいい。黄金の70年代に関心のある者には、登場する固有名詞も含めてたまらない。

マノエル・ド・オリヴェイラ監督『アンジェリカの微笑み』（2010）

ポルトガルのドウロ河流域の小さな町を舞台にした瑞々しく、端正な作品である。カメラを趣味とするユダヤの青年が下宿のおばさんから富豪の美しい娘の遺体写真を撮ることを頼まれるのが発端だが、以下、この土地のカトリック教とユダヤ文化の関係なども丁寧に演出されながら、物語は幻想シーンに進んでいく。死者との恋といえば、日本では『牡《ぼ》丹灯籠《たんどうろう》』や、泉鏡花の作品があるけれど、ここでは風景同様、暗い湿気はなく、軽やかな感じ。主人公の住む下宿の人間関係がリアルで興味深い。

アルノー・デプレシャン監督『あの頃エッフェル塔の下で』（2015）

あとから考えると、どうしてあんなことになったのだろうと思うのが青春だが、デプレシャンはそのニュアンスをよくとらえて演出。青春を生きる者の生意気さ、憧れ、読んだ書物、聴いたレコード、ダンスと暴力沙汰。すべてが懐かしく感情移入できるのは監督みずからの記憶が作品に投影されているからだろう。そうでなければ、かくも唐突で興味深い構成はできないはずだ。ドルメールとルコリネをはじめ、登場する新人たちが瑞々しく、現在の主人公を演じるマチュー・アマルリックとその人類学教師が印象的だった。

ファティ・アキン監督『消えた声が、その名を呼ぶ』（2014）

サローヤンの翻訳者としてトルコ人によるアルメニア人ジェノサイドの史実はよく読んだが、本作は両親がトルコからハンブルクへ移民した監督によるものなので、主人公ナザレットを救うヒューマンなトルコ人も登場し、微妙な物語構成。たぶん、監督の故国トルコでは撮影不可能な作品だ。主人公が騒乱で行方不明中の娘たちを想い、チャップリンの『キッド』を見て涙する場面や、キューバからラムの密輸でアメリカに渡るルートなど、調査充分に描き出され、国境を越えた時代考証も丁寧だった。

リチャード・ロンクレイン監督『ニューヨーク　眺めのいい部屋売ります』（2014）

40年住んでいるうちに値段の上がったマンションを売って新しい部屋に住み替えようと、あたふたする老夫婦と、彼らを取り巻く都会人の人情物語は、東京ともどこか似たところがあり、ディテールが具体的で身につまされた。モーガン・フリーマンとダイアン・キートンの夫婦の寄り添い方がみごとで、間に入る不動産仲介人シンシア・ニクソンの、ニューヨークを生きているという鋭敏な言動もみごと。周りの人間群像も個性的で、街の古い感じも味があり、都会に住むシニアにはお薦めである。

ジャック・オディアール監督『ディーパンの闘い』（２０１５）

　内線下のスリランカから夫婦と娘という偽装家族を作って申請の許可をとり、フランスへ入国する一家の物語だが、居住したパリ郊外の集合団地がまた、麻薬密売人が巣食い、法治国家とは思えないほどの荒廃ぶり。「シャルリ・エブド事件」のあったフランスだからつい移民難民問題を考えてしまう。俳優としてのキャリアのないアントニーターサン・ジェスターサンが主人公を演じてリアリティをかもし出すが、全体の仕組みはフィクション。タミル語、仏語、英語の会話を日本語字幕で見るのだ。

マシュー・ハイネマン監督『カルテル・ランド』（２０１５）

　メキシコの麻薬戦争をテーマにした映画としてはヴィルヌーヴ監督『ボーダーライン』

が見応えのあるドラマだったが、今度はドキュメンタリーの登場。『ハート・ロッカー』のキャスリン・ビグロー製作総指揮ゆえ、アクション映画のタッチだ。自警団が銃弾を響かせてカルテルに迫る場面を同時録音で撮影しているのだから、スタッフの根性には驚くほかない。正義の人ミレレス医師がまとめた住民防衛の自警団も、組織の拡大につれて、悪の組織に染まっていく。ミレレスも獄中にあるのだから、トーンは暗い。

イエジー・スコリモフスキ監督『イレブン・ミニッツ』（2015）

警察の力というよりは監視カメラが次々に事件を解決していく現代において、スコリモフスキ監督が監視カメラ、Ｗｅｂカメラ、カメラ付き携帯、ＣＧといった技術を駆使して日常生活にひそむサスペンスを撮り、しかも群像劇である。『早春』などのファンとしては驚くが、巨匠は大学の卒業制作のような初々しさで作品に取り組み、実験精神も旺盛。惜しむらくは登場人物に魅力が欠けていること。女優を口説くためだけに映画を撮る監督の場面も退屈で、クライマックスを待ちこがれた。

マーティン・スコセッシ監督『沈黙　サイレンス』（２０１６）

17世紀、幕府のキリシタン弾圧下にある長崎を宣教師の目で見た作品。長時間、高いテンションのまま画面に見入った。外国人監督の描く日本の風俗や芝居はとかく不自然さが目立つものなのに、スタッフ陣の調査が行き届いていてキャスティングも的確。現代の日本人の合理性からすれば、浅野忠信の通辞が言うように踏絵くらい何でもないことかもしれない。しかしスコセッシは隠れキリシタンの貧困な境遇をあぶり出し、彼らが死後、「天国」に行くことを希求する状況をみごとに映像化した。

ナ・ホンジン監督『哭声／コクソン』（２０１６）

祈禱師が活躍する韓国映画に國村隼の演じる日本人が参入し、彼の居住する部屋の飾りつけとともに人物像は最後まで謎のままながら、土着的な存在自体が怖い。洋泉社の新刊『ゾンビ論』の読後に見たせいか、ゾンビの始原の地ハイチとヴードゥの呪術を巧みに韓国の過疎地に移しかえていると思った。『エクソシスト』など、他の映画からの引用はあるものの、2時間半をもたせるのは、撮影の細部がいいせいだろう。村に住み着いた日本人というだけで怪しい人物とは、庶民感情の反映か。

エドガー・ライト監督『ベイビー・ドライバー』（2017）

カーアクションのみごとさもさることながら、まず選曲が抜群なことに感動。耳に障害をもつアンセル・エルゴートがプレイリストの音楽を聴きながら、ギャングの逃走専門のドライバーをするというキャラクターもいい。ワンショットで逃げまくり、頑固そうな表情の一方で、美しいウェイトレスのリリー・ジェームズには純情を捧げるあたりの、動から静への演技も巧い。フィルム・ノワールに必須の悪の脇役にケヴィン・スペイシーを配したところなど、エドガー・ライトの演出も確かである。

マーティン・マクドナー監督『スリー・ビルボード』（2017）

警察署長の悪口を書いた広告看板を立てることに始まる脚本がいい。西部劇から抜け出たような強い女を演じるフランシス・マクドーマンドの大人の表情と動きは圧巻。善悪だけでは括れない脇役たちも個性的で微妙な雰囲気があった。感心したのはサム・ロックウエルの使い方で、暴力に走りやすく、差別的な警官だったのが、最後には職を失いながらもヒロインと意気投合する過程を演出の力で納得させてしまうことだ。カーター・バーウエルの引用豊富な音楽がふしぎなサスペンスをかもし出していた。

クリント・イーストウッド監督『15時17分、パリ行き』（2018）

イーストウッドの演出とドロシー・ブリスカルの脚本が巧妙なのは現実にテロの現場にいた3人のアメリカ人青年を映画に登場させ、やがてヒーローとなる彼らが、ようやくの思いでヨーロッパ観光にやってきた平凡な大衆にすぎないことを、回想場面とヴェニスやヴァチカンなどの観光旅行を丁寧に撮影して、自然な成り行きで見せている点だ。東浩紀の『観光客の哲学』には、「テロリストは観光客に偽装するし、ときに観光地を襲う」と書かれていたが、そういう視点からも87歳のイーストウッドは新しい。

ジョー・ライト監督『ウィンストン・チャーチル　ヒトラーから世界を救った男』（2017）

ヒトラーを相手に頑強に戦ったチャーチルについて歴史書にない部分をフィクションに頼りながら映画化したところが魅力。辻一弘のメイクによりゲイリー・オールドマンが俳優であることを忘れさせるほどチャーチルになりきっている。マクカーテンの脚本もナチス打倒の演説をよくとらえていて、地下鉄内のくさいシーンもあるけれど、チャーチルの国会内の孤立感を描いたあとでは、この程度の押しは必要かもしれない。夫人役のスコット・トーマスと女秘書リリー・ジェームズの脇役が効いている。

スティーヴン・スピルバーグ監督『ペンタゴン・ペーパーズ　最高機密文書』（2017）

トランプ大統領とジャーナリズムの対決を反映してか、ピーター・ランデズマン監督『ザ・シークレットマン』に続き、またもニクソン時代を舞台にした作品。ニール・シーハンという日本でも有名なニューヨークタイムズ記者を相手に地方紙ワシントンポストの女社長メリル・ストリープの苦闘する姿が、さすがスピルバーグの演出だけに明確に浮き上がる。彼女を支えるトム・ハンクスも敏腕な編集者を熱演し、観客は「憲法修正第1条」の勉強になる。ベトナム戦争とそれに続く70年代はスピルバーグ登場の時期だった。

アーマンド・イヌアッチ監督『スターリンの葬送狂騒曲』（２０１７）

　独裁政治家スターリンが後継者を指名せずに死んだことから起こる椅子取りゲームを、ご存じの有名政治家の実名を使い、歴史的事実を踏まえながら、喜劇的に描いた爆笑もの。原作はフランスのグラフィックノベルだから、テンポも快調。ソックリさんというわけではないが、達者な俳優たちは英語でしゃべり、予想通りロシアでは上映禁止だというから、どうしても見たくなる。期待通りの仕上がりで、フルシチョフやマレンコフの立ち位置、スターリンの子どもたちの話も面白かった。

チャン・ジュナン監督『１９８７、ある闘いの真実』（２０１７）

　ソウルオリンピック前の韓国は、日本人旅行客にとっても緊張を強いる国であったが、この映画はチョン・ドゥファン政権下の時代の雰囲気を説得力充分にとらえている。ソウル大学生の拷問死に発する韓国民主化の動きを検事、刑務所看守、新聞記者、学生、聖職者と、幅広い人物を登場させて彼らをテンポよく動かす演出はみごと。ターゲットとなるキム・ユンソク演じるパク所長が典型的悪役とはいえ、脱北者で富裕層に生まれながら家族を殺され、反共思想の鬼となったという設定も興味深い。

ジョン・クラシンスキー監督『クワイエット・プレイス』（2018）

ホラー映画の表面に子どもが出てくるのはイヤだという人もいるが、ファミリーの人間関係をテーマにしている作品で、子どもの感情など、うまくとらえている。音をたてたら、何かが襲ってくるという恐怖の正体も段階を踏んで怖くなるように仕組まれ、一家が住んでいる場所の荒らされ方が映像として秀逸。生理的にいたたまれないシーンも監督とヒロインが夫婦だということで自然に見ていられた。ホラーというジャンルは次々に工夫をこらして、新手を提供してくれるのが楽しい。

ブライアン・シンガー監督『ボヘミアン・ラプソディ』（2018）

フレディ・マーキュリーの短いが、波乱万丈の生涯を写した本作は、クイーンのメンバーであるブライアン・メイとロジャー・テイラーが協力しているので、彼の辛く悲しい部分もキメ細かく描かれていた。インドからパキスタンに移民し、さらに英国へ渡った両親の子で、口が出ていることに劣等感をもつフレディを演じるラミ・マレックは見ているうちに本人そっくりになり、ブライアン・シンガーがいかに観客をのせるのが巧かったかが分かる。伝説のチャリティ音楽イベント「ライヴ・エイド」の21分間は圧巻。

ピーター・ファレリー監督『グリーンブック』（２０１８）

音楽史に残る黒人ピアニスト、ドン・シャーリー（マハーシャラ・アリ）と、彼に運転手として雇われて、アメリカ南部を旅するトニー・リップ（ヴィゴ・モーテンセン）のコンビが絶妙だ。ニューヨークのナイトクラブ「コパカバーナ」に始まり、行く先々のクラブで音楽がたのしめ、ロードムービー独特の風物もいい。トニーの息子、ニック・ヴァレロンガが父から聞いた実話を脚本化したもので、こまかいエピソードが面白くて笑わせる。しかし１９６２年の南部の黒人たちの姿は哀しすぎて、怒りをおぼえる。

クリント・イーストウッド監督『運び屋』（２０１８）

イーストウッドの映画を見続けてきたものには、全篇、思い当たる所が多く、画面にひきつけられた。園芸にうつつをぬかして家族をかえりみなかった老人を主演にすえるとは、脚本からして素晴らしいアイデアだ。彼が麻薬の運び人に利用されているとどこで気づき、また、悪事を反省しているのかどうかなど、はっきりさせない展開も、この主人公らしい。劇中の娘を実の娘アリソンが演じ、いろいろなエピソードも私生活を反映しているようで、よくぞここまでやってくれたと思う。

スパイク・リー監督『ブラック・クランズマン』（2018）

グリフィスの『国民の創生』からトランプまでアメリカの歴史が映像として引用されるのを見ながら、70年代のコロラド州の町でジョン・デイヴィッド・ワシントン演じるストールワース青年が、黒人として初めて刑事に採用されたという事実に驚く。しかも当時の新聞にKKKに関する広告まで出ていて、それが事件の発端となる。スパイク・リー作品がラジカルになる歴史的事実は充満しているわけだ。アダム・ドライヴァーが演じる同僚の白人刑事や悪役のトファー・グレイスが好演して、娯楽性もある。

ティム・バートン監督『ダンボ』（2019）

　さすがティム・バートンの演出だけあって、実写映画のダンボが誕生するところからして質感がある。貧しいサーカス一座の哀愁と笑いもよく描かれ、やがて一同が金のある大舞台に移行していく場面もメリハリがあって、見事。コリン・ファレルやエヴァ・グリーン、マイケル・キートンらの演じるキャラクターが明快であるのとともに物語が実に分かり易い。群衆の頭上をダンボが大耳で風を切って飛んでいくのを見るとバートンにはさらにディズニー・アニメの実写化を期待してしまう。

第4章

記憶に残るカルト映画メモ

ジャック・ドゥミ監督『天使の入江』（1963）日常からの転落の詩《うた》

ジャンヌ・モローこそはフランス・ヌーヴェル・ヴァーグの華だ。ルイ・マルの『死刑台のエレベーター』は彼女が電話で「ジュテーム」とささやくクローズアップで始まったが、この映画もジャンヌ・モローのクローズアップから一気にズームアウトすると、彼女がニースのイギリス海岸を歩いてくる。モロー演じるヒロインのジャッキーと主要舞台である「天使の入江」の紹介である。筆者がこの映画をよく記憶しているのも、ある夏、ニースの海岸をぶらついたことがあるせいだろう。セットに金をかけられないヌーヴェル・ヴァーグ派はロケ撮影がきちんとしている。

そのタイトルバックが終わると、舞台はパリの銀行になって、もうひとりの主人公ジャン（クロード・マン）の銀行員としての退屈な日常が映し出される。ヴァカンスを前にジャンは、同僚のカロン（ポール・ゲール）からルーレット賭博に誘われるのだが、たまたま一晩で1カ月分の給料に相当する金額をかせぎ、その魅力にとらわれてしまう。ジャック・ドゥミ監督はルーレットのやり方をだれにも分かるように撮影し、勝負の世界の神秘性をしっかり叩き込んでくれる。そこでジャンのヴァカンスは、賭博で得た金を手に高級ホテルやカジノのあるニースへ行くということになる。

時計店を営む堅実なジャンの父は一人息子の休暇の過ごし方に猛然と反対し、例年のごとく叔父さんのところへ行くようにと言う。しかしジャンは、銀行員として平凡に過ぎていく日常を、「人生このままでいいのか」と疑っていた。彼には無為に過ぎていく生活への恐怖から、婚約まで解消したという過去があった。

そのようなジャンが、ニースのカジノでめぐり逢った賭博一筋のジャッキーにひかれていくのも無理はなかった。この映画でのジャンヌは、ブロンドの髪に眉を濃くかいたメーキャップで、ピエール・カルダンの服に身を包み、なりふりかまわずルーレットの盤をにらむ女だ。一児をなしながら、金持ちの夫に見放されたのも当然である。拙作『明日泣く』でホテル代と博奕《ばくち》で一億円を消費して逝ってしまう役柄の島田陽子も怖かったが。

ジャンとジャッキーは勝機を得ると、正装し、高級車に乗ってモンテカルロをめざす。だが、たちまちツキに見放されて、どん底へ。後年、ジャック・ドゥミと『シェルブールの雨傘』や『ロシュフォールの恋人たち』でコンビを組むことになるミシェル・ルグランの音楽がこの男女の転落の詩を、さらに一段とかきたてる。上流夫人だった誇りや銀行員としての知性もどこへやら、ののしり合う二人。それでも、「酒、歌、煙草、また女、外に学びしこともなし」とうたった佐藤春夫の日常からの転落の詩が美しいように、ジャンとジャッキーの転落の人生も、甘酸っぱく、心地よい。

ところでこの転落の人生も、ジャンが父に送金依頼の手紙を出し、父が今度だけは許すと言って金が届き、打ちひしがれた男女はまた手を取り合って、パリに戻る。じつに唐突だが、ジャック・ドゥミの映画らしいハッピーエンドではある。

サミュエル・フラー監督『ホワイト・ドッグ』（1982）黒人を襲うアブナイ犬

ハリウッドの新人女優ジュリー（クリスティ・マクニコル）は車で帰宅途中、白いシェパード犬をひいてしまう。急いで病院へ連れていき、犬は助かった。けがの手当てをすませたあと、ジュリーは犬を自宅に連れ帰る。

ある日、彼女が撮影現場に犬を連れていくと、そいつは牙をむいて共演の黒人女優に襲いかかった。ジュリーには甘えているくせに、犬は黒人だけを襲うことを教えられた攻撃犬「ホワイト・ドッグ」だった。

そのことを知ったジュリーはさっそく、犬をカラザス（バール・アイヴス）の調教場へ連れていく。そこで働く黒人の調教師キーズ（ポール・ウィンフィールド）は、そのシェパードが人種差別主義者のもとで攻撃犬にされたことを知ると、みずから調教をかって出た。彼自身、これまで一度もホワイト・ドッグの調教に成功したことはなかったが、奴隷制時代の遺物であるホワイト・ドッグの矯正は彼の職業的使命でもあった。

ある夜、犬は逃亡して黒人の牧師を噛み殺す。ジュリーはもう犬を殺してほしいと頼むが、キーズは「殺した犬では調教できない」と事件を隠して、特訓を続行。犬の正常化により、現代にも存在するホワイト・ドッグの歴史に終止符を打つのだと言う。「犬が悪いのではない。ホワイト・ドッグを作った人間が悪いのだ」

ホワイト・ドッグは子犬のころ、白人から金をもらって犬を殴りつける、アルコール中毒や麻薬中毒の黒人たちを憎悪することで作られるという。

キーズはマスクと小手と防具をつけ、サスペンスフルな猛特訓を続ける。

キーズを噛まなくなっても、初めて出会う黒人ではどうかと試す。

ようやく黒人を噛まなくなったところで、逆に白人に噛みつこうとするホワイト・ドッグ。その口からむき出した牙のクローズアップが怖い。撮影は名手ブルース・サーティースだが、歩きさまよう犬の姿にエンニオ・モリコーネの音楽がかぶると、ホワイト・ドッグへの哀しみがわいてくる。それは犬を愛するジュリーの思いでもある。

　そんな彼女の前に、可愛い二人の孫娘を連れた裕福そうな老紳士（ウォレス・ペリー）が手土産を持って、犬を引き取りにきた。ホワイト・ドッグはその男の孫たちへの贈り物だったのだ。怒り心頭で、老紳士に詰め寄るジュリーだったが……。

　原作はジーン・セバーグと結婚し、外交官で、映画監督もしたロマン・ガリ。だからヒロインには女優ジーン・セバーグの、人種差別問題に対する正義感あふれる面影がある。かつて角川文庫に『白い犬』（大友徳明訳）の題名で入っていた原作は長編だけれど、サミュエル・フラーとカーティス・ハンソンの脚本は、その中から、ホワイト・ドッグ問題だけを切り取って、シンプルで核心を突く物語にした。

　来日したフラーに会ったとき、彼が『気狂いピエロ』に出演中のゴダールとの写真にサインしながら、「映画はシンプルに！　シンプルが大切だよ」と言ったことを思い出す。

エリック・バルビエ監督『母との約束、250通の手紙』（2017）ロマン・ガリの自伝的小説の映画化

前項の『ホワイト・ドッグ』では人種差別問題がテーマだったが、ロマン・ガリの『夜明けの約束』を原作とするこの映画を見ると、その理由がよく分かる。

ユダヤ系ポーランド人である、ニーナ・カツェフ（シャルロット・ゲンズブール）は一人息子のロマンとともに、モスクワから「愛するフランス」へと流れてきたのだが、周囲の目はどこへ行っても冷たい。しかし、ニーナはそれにひるむことなく、息子のロマンに「お前は将来、トルストイやヴィクトル・ユゴーのような作家になり、フランスの大使になる」と呪文のように唱えながら叱咤激励し、身を粉《こ》にして働く。金を稼ぐためなら、詐欺まがいのことも平気でするという強烈なキャラクターである。

成人したロマン（ピエール・ニネ）もまた、それにこたえ、パリの大学に進学し、やがてゴンクール賞を二度受賞するほどの作家活動を始める。しかしフランス空軍に入隊したとき、ユダヤ系のゆえに、学校の同期生のなかで、ただ一人、将校になれないという痛ましいエピソードが挿入される。母は軍隊にいるロマンに250通もの手紙を書き、一時帰省

した彼にヒトラー暗殺まで進言する。ロマンと母ニーナの波乱万丈の物語だけれど、『ホワイト・ドッグ』と合わせて見ると、いっそう興味が増すだろう。

オラ・シモンソン、ヨハネス・シェルネ・ニルソン共同監督『サウンド・オブ・ノイズ』（２０１０）狂気の音楽テロリズム

本作はベースになった短編『アパートの一室、６人のドラマー』が１０００万回以上もＹｏｕＴｕｂｅで視聴されて評判になり、２００２年のカンヌ国際映画祭で短編映画パルム・ドール候補に。その後、キャスト、コンセプトはそのままでヴァージョン・アップ。『サウンド・オブ・ノイズ』という長編映画になったのだそうである。本作品は第63回カンヌ国際映画祭に出品、ヤング批評家賞最優秀劇映画賞に輝いた。

突如、黒ずくめの覆面をして街に現れた謎の６人組。彼らはあらゆるものを楽器に見立て、とんでもない場所で音楽を作りあげる、いわば「音楽テロリスト」だ。犯人たちを追うのは、有名な音楽一家に生まれながら音痴で、音楽嫌いの警官アマデウス（ベングト・ニルソン）である。彼は同僚が職場で流している音楽さえも受け入れられないという変人だ。

アマデウスはある事件の現場に残されたメトロノームを発見し、それを手がかりに捜査を開始するのだが、そんな彼をあざ笑うかのごとく、街中に「4楽章のテロ予告　街と6人のドラマーのための音楽」という掲示が張り出される。いわく、

「1、病院の手術室で外科医になりきり、患者とあらゆる手術器具を楽器にして演奏する」

「2、強盗のように銀行に入り込み、次から次へと札束を刻み、判子を押して音を奏でる」

「3、クラシックコンサート会場の外で、ブルドーザーのシャベルで大地を鳴り響かせる」

「4、高圧電線にまるで音符のようにぶらさがり、『本物の電子音』を街中へ響き渡らせる」

ふつうのギャング映画なら、銀行に強盗に入り、いかに金を奪って逃走し、それを隠すかというところに焦点がしぼられるのだが、この映画の犯人たちに金銭欲はなく、奪った札束をスラッシュするときのノイズの音楽化にのみ関心がいく。じつにシュールで、観客としては日頃の常識が裏切られて、快感となるのだ。

予告が次々に実行されていくプロセスは、ノイズを使った現代音楽性と、アナーキーなストーリー性、ポップアートな画面に満ちていて、新感覚のコメディが成立する。とりわけ最後、4番目の予告実現のために、はたして犯人たちは高圧線に手をかけ、街中の電気

を操ることができるのかというサスペンスがかかる。

この途方もない北欧スウェーデンの物語のかげには、現代音楽界の教育、鑑賞、施設の在り方に対する怒りがうかがえるので、６人のドラマーからなる音楽テロリストたちの犯行に観客は思わず拍手喝采する。主人公アマデウス刑事は音楽に劣等感をもっているわけだが、ヒロインの音楽テロリスト、サナ（サナ・パージョン）もまた、自分が受けた音楽教育に大いなる不満があったのだ。

こんな世にも奇妙な映画を作った監督のオラ・シモンソンとヨハネス・シェルネ・ニルソンは、ともに１９６９年にスウェーデンのルンドに生まれ、７歳のときに学芸会に参加して以来、親友だった。おたがい、音楽、映像の感覚を磨きあい、やがて退屈な現実世界に果敢に変化を与える映画を共同監督するにいたった。また何かやってくれるのでは、という期待がもてるアブナイ作品である。

ポン・ジュノ監督『スノーピアサー』（２０１３）地球温暖化の果ての悪夢

環境保護団体など一部の反対を押しのけて、２０１４年７月１日午前６時、年々深刻となる地球温暖化に終止符をうつために、79か国によって人工冷雨「CW－7」が大気圏上層部に散布された。その結果、世界は雪と氷におおわれ、地球は「新氷河期」に突入した。そこで、すべてが凍りつく前に、地球の全長43万8千キロメートルを1年で1周する列車「スノーピアサー」に「ノアの箱舟」のごとく乗り込んだものだけが生き残って、他の生命体は絶滅するという事態が起きた。

それから17年後の2031年、人類にとって唯一の生存場所は永久不滅のエンジンを有する「スノーピアサー」のみとなったが、そこは富裕層と貧困層との断絶がはげしく、先頭車両に近い列車に乗っている男女は窓外の雪景色を眺めながらワインなど口にして、氷河期以前の優雅な生活を楽しんでいる。その一方で、後ろへいくにつれて、人びとはスラム街さながら、飢えと不潔さに満ちた生活を強いられているのだ。

最後尾車両のカーティス（クリス・エヴァンス）は彼を兄のごとく慕うエドガー（ジェイミー・ベル）らとともに、この悲惨な現状を打破し、前後車両の区別を撤廃する「革命」を企てようとした。彼らは兵士たちによって支給される黒いゼラチン状の食糧、プロテインブロックで飢えを充たしているのだが、ある日、その食べ物に「赤いメモ」が混入されていることを、幼い息子ティミーを抱くターニャ（オクタヴィア・スペンサー）から目配せで教えられた。見ると、その「赤いメモ」には、革命へのキーワードが書かれていた。

カーティスはメモのおかげで、車両きっての情報通、賢者ギリアム（ジョン・ハート）に会うことができ、革命への第一歩を進めていく。まず拘束されていたエンジニアのミンス（ソン・ガンホ）を解放し、前方の扉の電子錠を開く。しかし前部の列車への扉を開けるごとに、一糸乱れぬ統率力をもつ悪の組織が待ちかまえていた。美貌できこえるティルダ・スウィントンが特殊メイクをほどこして、ファシスト的悪女メイソンという大役をこなしているが、最後の扉の向こうに君臨する独裁者ウィルフォードを演じているのは、『ポロック　２人だけのアトリエ』で奇才ぶりをいかんなく発揮したエド・ハリスである。

このスケールの大きいＳＦの監督は『グエムル　韓江の怪物』のポン・ジュノで、「この映画の原作となったフランスのコミックに初めて出会ったとき、真っ先にひかれたのは列車という独特な映画空間でした。何百もの金属のかけらが蛇のように動き、その中に人間がうごめいているというイメージが、私の心をつかんだのです」と語っている。

たしかにチェコのバランドフ・スタジオに組まれた「世界列車」は見ているうちに、単なるメガサイズのＳＦ装置を超えて、哲学的な思念に観客を導く。スタッフ、キャストが多国籍であるのも効果的で、最後にエンジンルームの謎が解き明かされるときは、窓外の氷の世界以上にひとの心も凍りつく……。

マーティン・スコセッシ監督『ウルフ・オブ・ウォールストリート』（２０１３）モデルの男が型やぶり

スコセッシ監督の前作『ヒューゴの不思議な発明』を見たときはニューヨーク大学映画学科のセンセイだなと思ったが、ディカプリオと5度目のコンビを組んだこの映画を見て、やはりシチリア移民の血のすごさを感じた。

原作『ウォール街狂乱日記「狼」と呼ばれた私のヤバすぎる人生』を書いた元証券マン、ジョーダン・ベルフォート自身がメチャクチャなやつなのだ。ちなみに50年代末、わたしが就職試験を受けた年は証券ブームだったので、クラスで山一や大和などの証券会社を受けたものは身体検査だけで就職が決まった。しかしディカプリオが演じるベルフォートはほとんど学歴もなく、コネもなく、廃墟のガレージを事務所にしてウォールストリートに乗り出す。そして、これ以上ないえげつなさで、犯罪すれすれに投資者をだまし、サクセスストーリーのヒーローとなっていく。

彼の言い分では「いちおう合法なわけだし、社会の慣習にのっとって一般人の欲望を利用しただけ」ということだから、株の世界は怖い。なんと26歳で49億円も稼いだのである。もうこれだけで日本の庶民はリアリティをなくしてしまうのだけれど、アメリカ人はこういう話が大好きらしく、原作の争奪戦があり、監督もリドリー・スコットなどが候補にあがったすえ、ディカプリオとスコセッシのコンビにおさまったらしい。

ベルフォートが作った証券会社はまるで詐欺師養成所である。そしてジョナ・ヒルたちが演じる社員一同、苦労もせずにつかんだ大金で、女とドラッグ漬けの日々を送る。スコセッシの演出が巧いので、マーゴット・ロビーをはじめ、裸身を惜しげもなくさらす女たちと社員たちの乱交パーティもド派手で、近頃失われた映画におけるエロティシズムの復権となった。

Ｆｕｃｋということばが５０６回使われていて、これは非ドキュメンタリー映画では、史上最多の回数だそうだ。ディカプリオも体当たり演技でみごとだったが、とりわけ電話もかけられないようなドラッグ中毒の場面は、芝居と思えないくらい真にせまっていた。監督も「ドラッグは楽しくてやめられないんだ」という主人公の態度を肯定するかのようなアブナイ演出をしている。

クライマックスの船上のパーティはハリウッド健在なりという贅沢な撮影だったが、さすがにＦＢＩも動きはじめる。すると、カイル・チャンドラー演じるＦＢＩ捜査官をベルフォートはなんとか味方に引き入れようとつとめる。観客もこのあたりまでくると、ベルフォートがつかまらなければいいと応援してしまう。

観客は、なんでも売りまくり、嘘をつき、ペテンにかけ、ひとを利用するテクニックについ呆然となり、見とれてしまうのだ。たぶん、スコセッシが描く全体のタッチが、貧しい男の立身出世物語をはるかに越えて、途方もない喜劇的ピカレスクとなっているからだろう。それにしても、こんなアホなことが通用したのだから、80年代、90年代のアメリカという国はいいかげんで、その後のリーマンショックの嵐も当然だという気がする。

ミシェル・ゴンドリー監督『ムード・インディゴ　うたかたの日々』（２０１３）ボリス・

ヴィアンのシュールすぎるイメージ

「大事なことはふたつだけ、ありとあらゆる形の、美しい娘たちとの恋愛、それにニュー・オリンズかデューク・エリントンの音楽。それ以外は消えてしまってよい。醜いんだから」と原作『うたかたの日々』の作家ボリス・ヴィアンは言った。その言葉にふさわしく、こんど再映画化された作品『ムード・インディゴ』は題名もデューク・エリントンの曲名にちなんだものだ。

１９６８年、シャルル・ベルモン監督、ジャック・ペラン主演の『うたかたの日々』はゴダールの『アルファヴィル』をプロデュースしたアンドレ・ミシュラン（タイヤでおなじみのミシュラン財閥に属する）によって製作。フランス五月革命のあおりで映画館が閉鎖され、観客動員はならなかったものの、ジャック・プレヴェールやボリス・ヴィアン夫人が気に入る出来で、こころやさしい青春映画だったと記憶している。では、こんどの映画の主眼はというと、ボリス・ヴィアンのシュールなイメージをこの半世紀で急速に進歩したＣＧ撮影を駆使して、絵で見せようとつとめたことにある。

パリの街を見下ろす広いアパルトマンで、ひとのことばが分かるネズミと暮らすコラン

（ロマン・デュリス）。働かなくても暮らしていける財産に恵まれた彼は、人柄のいい専属シェフのニコラ（オマール・シー）の天才的な料理を楽しみ、「カクテルを作るピアノ」を発明したりして、愉快な毎日を送っている。冒頭のシークェンスからCG撮影を駆使したシュールな場面が展開する。

コランにはシック（ガッド・エルマレ）という親友がいて、彼は哲学者ジャン＝ソール・パルトルに心酔し、なけなしの金を注いでパルトルの貴重本を買うので、コランは金銭的な面倒をみてやらなければならない。

やがてコランはクロエ（『アメリ』で有名なオドレイ・トトゥ）と恋に落ちる。ふたりは「雲」に乗って街を散策し、地下の森を探検する。半年後、スケート場でぶつかり、並んで乗せられた担架の上でコランはクロエにプロポーズする。

盛大な結婚式を挙げ、ニコラの運転するリムジンでハネムーンに向かうふたりの顔は輝いていた。だが、その幸せの時もつかの間。クロエが肺の中に睡蓮の花（ロータス・ブロッサム）が咲くという奇病にかかってしまう。ちなみにデューク・エリントンには「クロエ」と「ロータス・ブロッサム」という曲がある。

医師の指示で、睡蓮を脅して、しおれさすために、周りに大量の花を飾るが、クロエは衰弱していくばかり。次々に消えていくコランの手持ちの札束を画面に映してみせるのが、なんとも哀しい。治療費を稼ぐために、生まれて初めて働きだすコラン。ニコラも解雇し、アパルトマンは朽ち果てていく。パルトルにおぼれる親友シックも恋人アリーズ（アイッサ・メガ）との仲が冷え切り、コランをめぐる世界の歯車は狂いだした。コランはひとり、クロエの命をつなぎとめようと渾身の努力をするのだが……。原作を『地下鉄のザジ』の作者レイモン・クノーが「世界一悲痛な恋愛小説」と語ったゆえんである。

アントワーン・フークア監督『イコライザー２』（２０１８）正義の人、マッコールの流儀

デンゼル・ワシントンが続編に出演するのは初めてだけれど、前作は面白い人物像の設定をしたまま、多くの謎を残して終わっていたから、ファン待望の映画ということになる。主要スタッフもリチャード・ウェンク脚本、アントワーン・フークア監督と同じであり、主人公の魅力を知り尽くしていて、作品のスケールと同時に、知的な深味も増している。

では、どういうところが主人公ロバート・マッコールの魅力かといえば、元ＣＩＡトッ

プ・エージェントで、相当に苛酷な過去があったらしい彼がまず何よりも、ごく普通の平凡な日常生活を送りたいと思っていることだ。その願望のために、前作ではホームセンターの従業員として働き、今回は街を流す親切なタクシードライバーとして生計を立てている。マッコールの「昼の顔」である。

彼は読書しているときがいちばん幸せそうで、前作ではヘミングウェイの『老人と海』やラルフ・エリスンの『見えない人間』を読み、本作ではタナハシ・コーツの『世界と僕のあいだに』を人にも読むようにすすめ、プルーストの『失われた時を求めて』を読み切ろうとしている。

そういう日常的な時間を過ごしているときのデンゼル・ワシントンの顔がじつにいい。前作では仕事場の同僚の青年がガードマンの試験を受けるのを手助けし、歌手志望の女の子とのやりとりも、終始、温かいものを感じさせたが、今度はシングルマザーとともにマッコールと同じアパートに住む、絵を描くのが巧いマイルズ（アシュトン・サンダース）に、父親のような庇護と声援を送る。

「人間はなりたいものになるべきだ」というのがマッコールの口癖である。マイルズは不良の世界に入りそうな環境ながら、マッコールを慕うことによって辛うじて、まともな生活を送る。こうした人間関係のきめ細かいエピソードが、バック・ストーリーとして心うたれるところだ。

しかも、本しかないような、ガランとした部屋で孤独に暮らすマッコールにとって、この新しい関係は「人質」という、イコライザーとしては、のぞましくない障害物になるのだ。物語としては巧い布石である。

何事もなく、平穏に暮らしたいと願いながら、タクシーの窓から眺める風景は静かで美しい。だが、次々に乗り合わせる大都会の客たちのなかには、理不尽な目にあい、泣いている者もいる。それを黙って見過ごせないのがマッコールの性格。かつての上官で、彼の過去を知りつくし、姉のように良き理解者であるスーザン・プラマー（メリッサ・レオ）もこの性格だけは直らないと思い、「あなたの行きたいと思う道を進みなさい」と言う。そこで、許可がおりたとばかり、マッコールは彼独特の正義感による超法規の暴力行使に打って出る。観客が待ちこがれていた瞬間であり、この前後のショットは風景も人物の動きも見どころがある。

マッコールの流儀で腕時計のストップウォッチのスイッチを押すと、彼の心臓の鼓動が遅くなり、瞳孔が拡大、視覚がシャープになる。部屋の細部が映し出され、観客もつい武器に使える物があるか、その場にいる敵の弱点は何かと、主人公とともに探してしまう。

フークア監督自身が「イコライザービジョン」と呼んでいる場面で、一転、マッコールは「夜の顔」になり、19秒で世の不正を抹消してしまう。と同時に、ストップウォッチをストップさせて任務終了。これこそファンにはたまらない、US版「必殺仕事人」、イコライザーのシステムである。

われわれの映画の現場で録音部が使っている器械にも、イコライザーというものがあって、それは、誰もが聴き易いように、俳優の声のヘルツ数を上げ下げして、音質を調節する器械だが、マッコールも超法規的に処分する相手に向かい、なんとか真っ当な道に戻れないのかと問う。イコライザーとは、じつに含蓄のあるタイトルだ。しかも今回は、相対する敵もまたイコライザーの能力を備えているというのだから、サスペンスがある。

ターゲットとなる悪者を興味深く描くというのが、フークアとワシントンが組んだ作品の魅力で、ワシントンにアカデミー賞の主演男優賞をもたらした『トレーニング デイ』(2

００１）のロサンゼルス・ストリート・ギャングや前作『イコライザー』（２０１４）のロシアン・マフィアのボスも、同情すべき生い立ちまでマッコールが追求したあげく、やはり抹消に値する、冷酷な人間たちだった。

脚本ウェンク、監督フークア、主演ワシントンのトリオによる新しいところでは、２０１６年の『マグニフィセント・セブン』も鮮烈な娯楽映画だった。物語構成は『荒野の七人』（ジョン・スタージェス監督、１９６０）で、ワシントンはユル・ブリンナーの役を違った風格で見せて貫録があった。だが、この作品でも悪の権化たるピーター・サースガードの命令で虫けらのごとく人がばたばたと殺されていくのを何度も見せられて、アメリカという国まで怖くなった記憶がある。

今回、敬愛するスーザンが殺されるにいたって、マッコールは初めて一般的な正義感からではなく、個人的な復讐を誓うことになり、イコライザーの能力を満開にさせていく。対する相手も高度の能力によって、マッコールのやってくる場所をぴたりと予知する。

最高の見せ場はやはり、ハリケーンが襲来するなかでのクライマックスだ。マサチューセッツ南部の海岸沿いの街で撮影したというが、視覚効果に極力頼らず、誰が見てもアナログ撮影だろうという技術を駆使して、必死のアクションを展開する。

結末は見てのお楽しみというわけだが、まだ「謎」はのこり、観客はこのシリーズの、さらなる新作を期待することになる。

キム・ヨンフン監督『藁にもすがる獣たち』（2020）、ユン・ダンビ監督『夏時間』（2019）デビュー作のたのしみ

自分よりも年長のイーストウッドやゴダールの新作と同時に、いやそれ以上に、やはり気になるのは新人たちのデビュー作である。そこには彼らの過去の蓄積や将来の可能性が詰め込まれているからだ。自分でもなにか撮りたいと思っているかぎり、こうした気分はいつまでも続くだろう。

さて、近く日本で公開される韓国の新人監督のデビュー作2本を見て、自分のデビューした頃の思いを書くようにとの依頼であるが、時代背景と育ち方の違いや出来栄えに、わが身と比較するのがためらわれる気もしている。

まず『藁にもすがる獣たち』のキム・ヨンフン監督は長編劇映画でデビューする前に短

編やドキュメンタリーを数多く撮っていて、そのディテールの良さが本編にも活かされていた。わたしも劇映画デビュー以前に、野田真吉との共同演出で、大宅壮一監修の『これがベトナム戦争だ！』（1968）というドキュメンタリーにかかわっているが、これは会社の事情によるもので、わたしの意思ではなかった。1期先輩の野田幸男も『不良番長』（1968）でデビューする前に『プロレスWリーグ 血ぬられた王者』（1968）という記録映画を監督していて、東映はいわゆる「本編」を撮らせるに当たり、小手調べをしたのかもしれない。

ふたりとも助監督試験を受けて入った「苦節十年」組で、野田さんの劇映画1作目は彼に頼まれて、わたしがチーフ助監督をつとめ、その4作目の『不良番長 送り狼』（1969）でわたしはデビューすることになる。わたしも野田さんも演出部の同人誌に自分が監督したい脚本を書いていたが、それはかなわず、わたしと同期で、すでに『昭和残侠伝』シリーズを書いていた松本功と山本英明のオリジナル脚本を撮ることになったのだ。わたしがようやく自分の脚本で監督できたのは、ライターを頼むにはあまりにも低予算だった『ネオンくらげ』（1973）の時代からである。

『藁にもすがる獣たち』のユニークなのは新人ながら曽根圭介の長編小説を原作にしていることだ。東映らしく劇画の原作では何本かの作品を映画化したわたしも、筒井康隆原作で『俗物図鑑』（1982）を撮るまでは小説を原作にしたことはなかった。筒井さんはこの作品を気に入ってくれて、次回作『スタア』（1986）に全面出資してくれたのだが、その筒井さんは山田風太郎賞選考委員をつとめたとき、この『藁にもすがる獣たち』を「まったくろくな人間が出てこない。小生こういう作品は大好きであり、飽かずに読ませる」と絶賛した。韓国の新人監督はよくこういう作品を製作したものだと感心する。

原作の舞台は東京から約1時間というP県牛ヶ沼市、たぶん著者の出身地である静岡県あたりだろうが、これを脚本監督のキム・ヨンフンは韓国の港町、ピョンテク市をロケ地に選び、作品背景の奥行を深くしている。

登場人物も原作のキャラクターを巧みに使い、大金の入ったバッグひとつをめぐって、一見つながりのない男女がしだいに追いつめられていくさまをサスペンスフルに演出。ドキュメンタリーを撮ってきた監督ならではの臨場感があった。地方都市に住む人間の生活や嫁姑の家族関係など、日本と韓国とのあいだには共通するところも多く、感情移入できて、この原作を使ったわけがよく分かった。

『夏時間』は１９９０年生まれの女性監督ユン・ダンビが大学院の長編製作プロジェクトとして製作したものだという。われわれの時代には映画会社の助監督試験に女性を受け付けていなかったので、当今の女性監督の進出ぶりには目を見張る。わたしがことしの外国映画ベストワンに選んだ『燃ゆる女の肖像』（２０１９）も、女性監督セリーヌ・シアマの作である。

さきに述べたようにわれわれは苦節十年の助監督生活をしたわけだが、映画を撮影所の現場ではなく、大学や専門学校で学んでくるというのも大きな違いである。そのせいで、ユン・ダンビの演出も小津安二郎やホウ・シャオシェンに学んだものであることが歴然。配役もかつての映画会社なら美男美女を揃えるところだが、少女から老人にいたるまで、リアリティを追求していて、さすがである。

デビュー以来、「不良性感度」の高い映画を撮り続けたわたしが、『夏時間』のような日常性のある作品を撮れたのは、東映撮影所を出て、教育映画や児童映画を演出するときだけだった。そんなとき、わたしは大いに張り切り、『わたんべとすばらしい仲間』（１９７９、学研）では文部大臣賞、『生きものと教室の仲間たち』（１９８０、桜映画社）では総理大臣賞をもらった。

『夏時間』の舞台である庭付き二階建ての家屋も仁川《インチョン》で見つけたロケ地だそうで、何度見てもあきない。わたしがオールロケで撮影できたのはスタジオ代がなかった自主製作の『明日泣く』（２０１１）まで待たなくてはならなかった。二人の韓国の新人はいい仕事をしていて、次回作がたのしみである。

「キネマ旬報」２０２１年３月上旬号

第5章

映画とジャズ

映画『明日泣く』より（斎藤工と汐見ゆかり）

『酒中日記』（２０１５）を監督したとき、音楽監督の久岡めぐみさんに映画のなかで、チェット・ベイカーみたいなジャズが流れていると、街が懐かしく見えていいなと言ってしまった。すると彼女と共にアメリカに留学していた若いプレイヤーたちが、その雰囲気をバッチリ出してくれたので、びっくりした。

そんなことがあったあと、ベイカーの肖像を描く映画が2本公開されたのにも驚く。ロバート・バドロー監督、イーサン・ホーク主演の『ブルーに生まれついて』（２０１５）と、ロルフ・ヴァン・アイク監督、スティーヴ・ウォール主演『マイ・フーリッシュ・ハート』（２０１８）である。いずれもジャズ好きにはたまらない哀愁のある映画だったが、とりわけ後者のオランダ映画はアムステルダムを舞台にチェットの最晩年を描いたもので、わたしは持っているＣＤを聴きまくった。

ついでに往時を懐かしみ、古い「ジャズ批評」誌を引っ張りだして、ジャズを聴き始めた頃を思い出した。まずは色川武大原作のジャズをめぐる映画『明日泣く』（２０１１）を監督したとき、高崎俊夫さんを相手におしゃべりをしたものである。

高崎　まず、内藤さんとジャズとの出会いからお聞かせください。

内藤　僕らの世代は高校時代、ラジオの「Ｓ盤アワー」や映画でグレン・ミラーとかベニー・グッドマンの古いスイングジャズを聴いていました。モダンジャズに目覚めたのは何といっても、『死刑台のエレベーター』です。マイルス・デイヴィスがラッシュフィルムを見ながら演奏したというエピソードにも、感動して、最初に買ったＬＰはマイルスの『バグス・グルーヴ』です。それから『サムシン・エルス』を買った。

当時、助監督時代ですが、本郷の東大前にあったアカデミアという医学系の洋書店に「ダウンビート」があったので、買いにいった。ディジー・ガレスピー特集とかが載っていて、日本のジャズ評論家が書くモダンジャズの情報はこの雑誌がネタだと思ったよ。横文字の勉強をかねて読んだり、ミュージシャンの写真も切り抜いて壁に貼っていましたね。１９６１年、アート・ブレイキーが来日したときのコンサートにも行きました。

高崎　当時、ジャズのレコードは高かったのではないですか。

内藤　高かったけど、買いましたよ。だって、ＬＰのジャケットはかっこよかったから。それに当時はモダンジャズを使った映画がバンバン入ってきたんですよ。記憶しているだけでも、『私は死にたくない』のジェリー・マリガン、『拳銃の報酬』、『大運河』のMJQ。MJQは『コンコルド』というLPも買った。それから、エドゥアール・モリナロの『彼奴を殺せ』や『殺られる』もジャズ・メッセンジャーズでしょ。ミシェル・ガスト監督、アラン・ゴラゲール音楽の『墓にツバをかけろ』は原作者のボリス・ヴィアンが、この映画の試写を見てて死んじゃったんだけど、彼のペットの音が映画のなかで聴けるとか、当時、話題になって、本当かなと思ったけど。僕はボリス・ヴィアンが好きで早川書房から出た全集も持っています。フランスはF・スコット・フィッツジェラルドの『雨の朝パリに死す』という1920年代のパリというのもあるんだけど、やはりパリ経由、パリがジャズを発見してくれたんです。最近だと、ゴダールの新作『ゴダール・ソシアリスム』でも突如、チェット・ベイカーが流れたんで、ゴダールもジャズが好きなんだなと思って、感激しました。

高崎　フランスはかつての「カイエ・デュ・シネマ」の作家主義によるアメリカ映画の顕揚もそうですが、ジャズに関しても本国よりも評価がずっと早いですね。

内藤　そうです。とにかくルイ・マル。その後、ルイ・マルは『ルシアンの青春』ではジャンゴ・ラインハルト。『好奇心』ではチャーリー・パーカーを使っています。僕が一番しびれたのは、ジェリー・ウェクスラーが音楽監修の『プリティ・ベビー』です。アメリカ南部の淫売宿が舞台で、アントニオ・ファーガスという黒人の俳優が演じたプロフェッサー、教授と呼ばれている男が汗ひとつかかないでピアノを弾いている。最後には世論の反対で淫売宿が崩壊し、ものすごいぼろピアノだったということが分かるんだけど、ジャズに関しては、ルイ・マルはすごい人だなあと思いましたね。あんなにジャズに造詣が深い監督っていなかったんじゃないかな。

高崎　ジャズ喫茶が、全盛の頃でしょうか（１９６０年代後半－70年ごろ）。

内藤　そう、ジャズ喫茶が多かったです。新宿の「木馬」には金髪のお姉さんがいて、喋っていると、難しい顔をして紙に「お静かに」と書いて持ってきたりしてね。寺山修司がよくいた「ヨット」は喋っても大丈夫だったけど。「汀《なぎさ》」は東映で同期入社だった俳優の室田日出男のお姉さんがやっていた店でした。有楽町のスバル街には「ママ」があり、渋谷には「デュエット」「ありんこ」とか10軒ぐらいあったな。助監督時代にどれだけジャズ喫茶で時間をつぶしたことか。家人ともよく聴きにいった。結婚する前は、だいたいジャズ喫茶で会って、じっとして喋らなくてもいいやという時間を過ごしていたから。今でも、ちょっと間があいたら、中平穂積さんの「ＤＵＧ」とか高田馬場の「マイルストーン」で時間をつぶすのが好きです（「マイルストーン」には『明日泣く』のポスターまで貼ってもらったのに、２０１９年に閉店）。

高崎　いずれ自分が監督になったらジャズを使おうと考えていらしたんですか。

内藤　そう、東映もかつては今井正の『米』では、芥川也寸志などが来て、Ｎ響のオーケストラを呼んで大々的にやっていたけど、われわれの世代はああいう音楽の入れ方はもう金銭的にだめだろうと思っていました。それだったら、ジャズでクインテットとかセクステットでやろうなんて思っていましたね。

高崎　師匠にあたる石井輝男監督はよくジャズを使っていましたね。

内藤　石井さんが東映に来たときの最初の音楽監督は三保敬太郎で、銀座で一番もてると言われていた。あの人はカーレーサーでもあり、大映で村野鐵太郎監督が田宮二郎主演で『銭のとれる男』という三保敬太郎をモデルにした映画が作られたんです。三保敬太郎自身が音楽もやっている、実に不思議な映画だったけど。「11ＰＭ（イレブンピーエム）」

のテーマソングを作曲したのが三保敬太郎ですから、有能な人が来ている、これからの東映の音楽もいいなと思いましたよ。

高崎 瀬川昌治監督にも何本かつかれていますね。

内藤 そうそう、瀬川昌治監督の『乾杯！ごきげん野郎』では、なんとトニー・スコットがクラリネットを吹いているんですよ。あの頃、アメリカ帰りのジャズ評論家で、富士銀行に勤めていた瀬川監督のお兄さん（瀬川昌久さん）の家にトニー・スコットが居候してたんです。それで出てもらおうということになって、お前の英語が一番通じそうだと言われて、東映のハイヤーでトニー・スコットを送り迎えしたんです。「ナイトフォールのブルース」という曲を吹いてくれたことを覚えていますが、撮影が終わったら、南廣とか世志凡太とか、出演者とジャムセッションを始めちゃって、楽しかったなあ。録音しておけばよかったんだけど。

高崎 当時、ほかに東映でジャズが印象的に使われた作品ってありますか。

内藤 チーフ助監督になってからは降旗康男のデビュー作『非行少女ヨーコ』で、渡辺貞夫、日野皓正、八木正生と、有名プレイヤーがタイトルバックで登場しました。名キャメラマンの仲沢半次郎が凝ったシルエットで撮っちゃって（笑）。

高崎　ちょうど、渡辺貞夫がバークリー音楽院から帰ってきた頃ですか。

内藤　そう、日野皓正も売り出した頃です。彼はカッコいいし、ダンディズムもあって、貴重な映像なんだけど。

高崎　東映時代は八木正生さんが多いですね。

内藤　『番格ロック』も、『ビューティ・ペア　真赤な青春』も八木さんで東映時代は最後まで八木さんが多かった。八木さんは独特の教養をもった方で、新宿アートシアターの舞台で時々、カルテットで演奏会をやるんですよ。僕は助監督時代、かぶりつきで見ていました。新宿の「ピットイン」開店以前に、そういう不思議な催しがあったんです。八木さんは僕よりも4つぐらい年上ですが、話す機会がよくあってね。「有楽座で、ジョージ・ガーシュインの伝記映画『アメリカ交響楽』を10回は見た。それで生涯の職業を決めた」って言ってました。

高崎　内藤監督の映画では八木さんはモダンジャズをそんなに使ってはいませんね。

内藤　八木さん自身がどうなんだろう。ジャズマンとしては食えないと分かっていたのかも。世を忍ぶ仮の姿だったのかな。『気まぐれキーボード』という自伝でも全然、東映時代のことに触れていない。僕も自主映画で仕事をするようになったし、東映自体が『大日本帝国』、『日本海大海戦　海ゆかば』とかの1本立ての大作興行になり、もうジャズは使えない。オーソドックスなフルバンドでということになりました。

高崎　70年代に入ると若者映画でもロックが主流になってきましたね。

内藤　そう、僕も『番格ロック』ではキャロルを使ったけど、八木正生さんを音楽監督にして、キャロルの音楽でスタートしても、彼らは主題歌と挿入歌にとどめたいと思った。八木さんも、歩きの場面に不協和音を入れてタッチが前衛的になり、ロックに負けるものかという気迫を感じました。

高崎　八木さんを常にそういう形で起用していたわけですか。

内藤　ええ、『真赤な青春』では、ビューティ・ペアがトップテンに入るような「かけめぐる青春」を歌うわけだから、これだけに任せておくのは怖いと思い、僕は必ず八木さんにお願いして、音楽全体は八木さんが統括するというふうにしました。

高崎　80年代以後、自主映画の時代になると、『俗物図鑑』では、なんとジャズ評論家の平岡正明さんが主役を演じます。

内藤　最初は、原作者の筒井康隆さんを考えたんだけど、「もう少し年をとったらいいけど、今はダメです。いっそ平岡さんでやったらどうですか」と言われて、平岡さんが主役じゃないと収まらない雰囲気になったんです。今、観ると、平岡さんは出ずっぱりだし、竹中労がどういう人かというのも分かるし、上杉清文にしても田口トモロヲにしてもアンダーグラウンドのひとだったから、当時の文化人のドキュメンタリーとしては面白いですよ。当時、平岡正明は髪を長くしていて、若き教祖みたいな感じだったけど、その髪をスパッと切ってくれと言ったんです。そしたら奥さんがあの短い髪を気に入っちゃって、それから、昔の長い髪をやめて短髪になっちゃった（笑）。音楽はヒカシューなんだけど、みんながタダ同然に出る人たちで、最後はフリージャズをやって死にたいというんで、ジャムセッションになるんですね。呆れるんだけど、その最後のジャムセッションのシーンのために南伸坊とか上杉清文とか末井昭とか、みんなサックスを買っちゃってね。フリージャズだから何をやってもいいということになって、練習したっていうんだけど、まあ、みんな一所懸命吹いてるから、画にはなるんですけどね。そこにバーン、バーンと弾が飛んできて一人ずつ死んでいくというシーンで、平岡正明さんもサックスを吹いています。

高崎　山下洋輔トリオとはどのあたりからのお付き合いなんですか。

内藤　もう一方的なファンですよ。新宿ピットインで殿山泰司さん、筒井康隆さんと一緒に聴いていましたから、平岡正明さんと同じですよ。ちょうど「ジャズ批評」の創刊号を飾った平岡さんの『ジャズ宣言』が出た頃だと思うけど、いやあ、すごい書き方をする人がいるもんだなあと驚きました。平岡さんは、俺はジャズを聴くときは音だけ聴いていればいいんで、プレイヤーは邪魔なんだという人だから、この『俗物図鑑』という映画も監督と筒井康隆が邪魔なんだよな、なんて無茶苦茶を言っていた（笑）。それだけ音が好きで、目をつむって没入しちゃうんだね。僕らは、たとえば『真夏の夜のジャズ』でセロニアス・モンクがピアノを弾いている姿が美しいと思うじゃないですか。でも平岡さんは映像をイメージや妄想で勝手に作っちゃう。そういう意味でも平岡さんは天才的でした。

高崎　『明日泣く』は、渋谷毅さんを起用したのはなにか理由があるんですか。

内藤　今度の映画を準備している時に、筒井さんとの関係で山下洋輔さんにお会いしたら、近頃、低予算の映画に協力してくれる若い、いいミュージシャンがいるよと言ってくれたんですね。それは、おそらく菊地成孔さんや大谷能生さんのことを言ってるんだと思ったんですけど。色川武大さんの原作は、銀座にまだ低料金のジャズクラブがあった昭和の時代の話だし、山下さんには筒井康隆原作『スタア』の音楽をやってもらっているんですが、彼の本領は『スタア』ではなくて、もっと暴力的ともいえるジャズの世界ですよ。だから色川さん原作の世界なら、浅川マキの歌に軽やかに合わせちゃう渋谷毅さんのムードかなと思った。

高崎　そのほうが、昭和のムードは濃厚に出ますね。

内藤　色川さんのエッセイを読むと、渋谷さんと一緒に鹿児島のジャズクラブに行ったことも書いていましたから。そこで、入谷の「なってるハウス」でライブをやってるというので会いにいって、30年ぶりに会ったんです。実は、僕が東映時代に撮った『ネオンくらげ』という映画で渋谷さんに音楽を手伝ってもらったことがあるんです。僕はその時は、出演もしてもらった三上寛のレコードを聴きながらシナリオを書いたんですが、当時、三上寛は採譜できないというんで、渋谷さんにピアノを弾きながら、同時に譜も書いてもらったんです。その映画では中村誠一と坂田明も吹いてくれた。今度の『明日泣く』では渋谷さんに、先に音楽をとっちゃって、２日間のレコーディングをすませてから、それに合わせて映画を撮るから、後の音楽ダビングはしません、『死刑台のエレベーター』の逆をやりますからと言ったら、面白いねと言われて。実際に撮影に入ると、その音楽を頭に入れておいて、主人公の作家である斎藤工が川っぷちを歩くシーンとかルーレットの場面も音楽はこれを流すから動きはゆっくりにしようとか、あるいは早くしようとか考える。だから演出していて、とても楽しかったですね。ジャズピアニストに扮した汐見ゆかりの音は、黒田京子さんの演奏で、先にとっちゃって、汐見ゆかりには、それを見て、ちょっとオーバーでもいいから弾く演技をしてくれと指示しました。黒田さんは学習院の文学部出身で、ブレヒト・ソングを研究している方だから文学的に深く理解してくれて、こういう場面ですからこういう風に弾いてくださいと言うと、すぐにイメージ通りに弾いてくれました。そして、浅川マキが歌ってくれるなら作詞しなきゃなあと思っていたら、亡くなっちゃったんです（２０１０年逝去）。

高崎　え、浅川マキが出る予定だったんですか。

内藤　浅川マキが最後のタイトル・ロールで歌ってくれるといいなと思っていたんです。渋谷さんが浅川マキとコンビを組んでいて、浅川マキが亡くなった時も、名古屋のライブで一緒に出ていましたから。思いついたら、早いとこ、やっておくようにしないと。まあ、映画というのはやりたいことの半分しかできないジャンルですから、しょうがない。

高崎　キャスティングもユニークですね。

内藤　ジャズ・パンクバンド「勝手にしやがれ」の武藤昭平は汐見ゆかりのキッコが憧れるドラマー、島田役で出てくれていますし、評論家の坪内祐三さんに色川武大の父親役で出てもらっているんですが、ちゃんと芝居していますよ。梅宮辰夫や島田陽子は東映時代のよしみで、ノーギャラで出てくれたけど、若いスタッフたちは彼らが出ると緊張するんです。いい刺激になったと思います。あと、ジャズクラブのシーンでは、渋谷さんがセシル・モンローがいいと言うんで出てもらっているんです。ただ、彼は、汐見ゆかりと軽く抱き合うシーンも駄目なほどシャイな人で、結局、音だけで参加してもらったんだけど、今年の8月に千葉の海で、ボディ・ボードの最中に波にさらわれて、不慮の事故で亡くなってしまったんです。僕は映画の仕上げがあって、葬儀に行けなかったんだけど、黒田京子さんたちがジャズ葬でおくられたということでした。映画が完成する前だったんで、彼は観ていない。

高崎　『明日泣く』は、最近の日本映画では珍しく本格的なジャズ映画になっていると思います。

内藤　宣伝配給の山下幸洋君が阿佐谷のジャズ祭りで、『明日泣く』のチラシを配っていると、マーサ三宅さんが「ああ、渋谷さんかあ」と、喜んで受け取ってくれる。ジャズっていいなと思います。

僕はよく、ホテルでシナリオを書いていたんですが、受験シーズンになると、都内のホテルが満杯なので、横浜市のはずれのバンドホテルに泊まったことがあるんです。そこのラウンジでは、ジミー竹内が演奏していた。これがシブいんだ。昔、水島道太郎主演の『上海帰りのリル』という映画があって、上海のリルという恋人を思い出して、上海と同じようなホテルを作るんだという夢の話で、それがバンドホテルなんだけど、これがまた泣けるんだなあ。ジミー竹内が横浜のこんな所でやってんだなあと今もって忘れられません。ジャズはどこまでいってもシブいですよ。そういえば、1986年、中村誠一カルテットが上海の和平飯店のクラブで演奏したとき、僕はただ日記を書いて雑誌に発表すればいいということで、その演奏旅行に連れていってもらったこともありました。

「ジャズ批評」2012年1月号

第6章

映画と酒

映画『酒中日記』より
（右から故・坪内祐三氏、中野翠氏、南伸坊氏）

東映で監督していたころは、ポスターは宣伝部に任せていたのだが、自主映画の時代になると、『時の娘』は多田佳人、『俗物図鑑』や『スタア』は南伸坊、最近の『明日泣く』と『酒中日記』は戸塚泰雄というように個性的なデザイナーが作ってくださって、それなりに当方の自由な希望もかなえられ、楽しくなった。その戸塚さんが作った「なｎＤ」という雑誌で、『酒中日記』を監督したばかりのわたしが映画ライターの寺岡裕治さんと酒をめぐる話をした。

寺岡　随分前に「人はなぜ酒を飲むか」をテーマにして1本撮りたいと内藤さんから聞いた覚えがあるのですが、とうとう『酒中日記』が完成しましたね。

内藤　ゴダールの『勝手にしやがれ』（１９６０）とかヨーロッパ映画を観るとよくカフェが出てくる。ただそこで飲み食いしてるだけのシーンでも、「そこに行ってみたい！」って思うぐらい退屈しないし、日本映画でも小津安二郎監督の映画だと、酒飲む場面がものすごく多いでしょう。『父ありき』（１９４２）なんて始終飲んでるじゃない。あれは撮りづらいし、台詞も芝居も難しいと思うんですよ。それで『酒中日記』はシチュエーションだけかっちり決めて、あとは酒を飲んで自由に話してもらって、それを3台のキャメラで撮れば映画になるだろう、と。やっぱり文士は話すことが面白いからね。

寺岡　今回の映画は酒がテーマですけど、内藤さんが初めてお酒を飲んだのはいつですか。

内藤　「一杯飲むか？」なんて正月の時に飲みはしたけど、親元を離れて大学に入るまで飲まなかったですよ。当時は美味しいとかもなくて、酔っぱらえればいいんだから。30円だった電気ブランを最初に飲んじゃったり。それからトリスバーっていうのがあって、一番安いトリスウィスキーのハイボールを飲んで。寮にいましたから時々みんなで飲んだけど、「今夜も酒がいるなあ」なんて思ったことはなかったなあ。かといって、今まで酒を飲まなかったという時代もないねえ。仕事が終わって話をする時は、解放感がほしいからいつも酒を飲むよね。

寺岡　東映に入って助監督時代はどんな酒場に行きましたか。

内藤　プロデューサーに銀座の「ルパン」っていうわりと安いバーに連れて行ってもらって、「ああ、ここが太宰治の座っていたバーか」とか。それから新宿昭和館近くの地下に「パブロ」っていうバーがあって、僕はジャック・ケルアックの『地下街の人びと』

を読んでいたから、その気分で通い詰めてたんですよ。コマ劇場の踊り子さんとか高島屋で働くお姉さんとかが来ていて、東映の演出部はそこに紛れ込んでいたね。撮影所にいたらデパートガールたちと口をきく機会なんてないじゃない。「え、助監督！　大変ね」なんて言われながら飲んでいましたよ（笑）。喧嘩も起きないし、解放感があって楽しかったね。それに当時の東映東京撮影所のスタッフルームにはビールがよく置いてありました。で、現場の仕事が終わると飲む。でも、びっくりしたのは4年前に『明日泣く』（2011）で久々に映画の現場に入ったら、撮影が終わると、みんなパソコンに向かうんだよ。あれは不思議だったなあ。現場は終わったらいつもビールだよ！

寺岡　でも、もちろん、当時も撮影中は飲まないですよね。

内藤　撮影しながら飲んだら大問題になっちゃう。関川秀雄さんが撮影中の夕飯に飲む人でね。僕が撮影所に入りたての頃、サード助監督として、『大いなる旅路』（1960）の盛岡ロケについたら「内藤、一杯いくか？」って言うから一杯クッといっちゃったんですよ。僕はわりとすぐ顔が赤くなる方だからチーフから「お前、顔が赤いんじゃないか？」と訊かれてね。事情を話したら「お前、夜間ロケがあること、知ってるだろう。

東京へ帰れ！」って言われてね。「監督が飲んでることだって怒鳴りつけてやりたいぐらいなのに、お前が飲んだら照明部だって何だって怒るだろう！」って。「わかりました。帰ります……」と荷物をまとめて帰ろうとしてたら、それを見ていた照明部とか、美術部の人たちが「入りたてでよく知らないんだから、そういうのはやめてくれ。内藤が帰るなら俺らも帰る！」って言ってくれてね。

寺岡　内藤さんがチーフ助監督だった『網走番外地』（1965）は北海道で合宿したと思うんですけど、撮影後はやっぱり飲みましたか。

内藤　1カ月ぐらい行ってたけど、退屈しなかったね。15時になると当時の技術では撮影終了だから夜は長いし、行く所はないし、高倉健さんはお酒を飲まないけど、俺たちは遊びたい盛りだから、翌日の準備をすませると、温かいホテルで酒を飲んで、ダンスをして、歌うたって、楽しかった。当然ロマンスも生まれて、向こうの人と結婚した人もいたりね。健さんは俺たちが遊んでるのをニコニコして見ながら、コーヒーを飲んだり催眠術をかけたり、それなりに楽しんでいましたよ（笑）。

寺岡　監督になってからはどんなところで飲みましたか。

内藤　僕が助監督としてついた監督たちは遊びで銀座なんかの洒落た高いお店に連れてってくれたけど、映画産業が傾いていって僕たちの世代になると新宿のゴールデン街になっちゃうんだよ（笑）。あそこは学生でも飲めるわけだから、卒業して助監督になって監督になって、でも行く酒場は一向に進歩していないという（笑）。なんとなく飲みに行くと作家の田中小実昌さんがいて『ネオンくらげ』（１９７３）に出てもらったり。あの時代は酒は大事だったね。紀伊國屋書店近くの「ピットイン」に行ったら殿山泰司さんがいて、隣り合わせて飲みながらジャズ聴いてなかったら映画に出てくれたかどうか。

寺岡　お酒というと大島渚さんなんかよく飲むという印象がありますが、『大島渚著作集第３巻　わが映画を解体する』に収められた『日本の黒幕』（１９７９）の脚本を一緒に書いた時はどうでしたか。

内藤　京都・石塀小路《いしべこじ》の「田舎亭」っていう旅館で書いていたんだけど、あの人はアルコールの入っていない液体は飲まないんだよ。朝飯にめざしとみそ汁が出るんだけど、まずビール。「マコちゃん、一杯ぐらいいいだろう」と言うんで、こっちも飲んだりして。でも、僕はコーヒーを飲みたくなるんで「ちょっと『静』に行ってきます」と言って抜けて行くと、近くの旅館に泊まっていた山田五十鈴さんが洋装でコーヒーを飲みに来ていて、帰ってから「大島さん、今日も山田五十鈴さんが来ていました」「いいなあ、お前」なんて話したり（笑）。それで5時になったら仕事は終わり。今度は街へ行って、京都大学時代の友達と「オオシマ、オオシマ」と盛り上がって。宴会が好きなんだろうね。創造社の時代みたいに共同で書いていたら終わるだろうけど、二人で書いていたら終わらないよ。結局、封切に間に合わなくなっちゃった（笑）。

寺岡　最近はどんなお酒の飲み方をしていますか。

内藤　はしご酒はしないで「家飲み」も多いね。昔の小津さんなんかは、日記を読むと外で酒飲んで、家で飲んでますよね。小津さんが酒を飲むのを『酒中日記』みたいに撮っていたらすごく面白かったと思うんだ。小津さんの映画を観ると「ああ、いい時代だなあ……」って思うでしょう。『酒中日記』に撮った酒場の光景もオリンピックが終わったら無くなっちゃうと思うんだ。「こんな激しい時代になにが『酒中日記』だ」と言われるかもしれないけど「いや、あとでふりかえればユートピアだから」って僕は思ってるんだけどね（笑）。（げんにオリンピック前に『酒中日記』のなかで、坪内祐三が歩いてくる銀座

の通りの背景に見えたビルは消え去り、主要舞台である新宿の酒場「風紋」もなくなった）

「なｎＤ」２０１５年２月発行

２０２０年1月13日、前項で話題にした坪内祐三さんが心不全で急逝。享年61歳。早すぎる死だった。２０１５年春、映画『酒中日記』をめぐる坪内さんとの「キネマ旬報」誌の対談記事を担当してくださった明智恵子さんに訃報を伝えながら、あらたに哀しみがこみあげた。司会構成は高崎俊夫さんである。

――おふたりの出会いからお聞きします。

坪内　僕の20年来の親友で古書店「月の輪書林」をやってる高橋徹というキーパーソンがいるんです。彼はもともと映画青年で日大芸術学部をやめて日本映画学校に行く。そこで内藤さんに出会って、シナリオをすごくほめられたと言ってました。それで内藤さんがシネマ・プラセットで撮った『時の娘』（１９８０）の助監督になるんですよね。

内藤　そう。助監督をやってくれてね。

坪内　僕はウィリアム・サローヤンが好きだったので、内藤さんのことをサローヤンの『ママ・アイラブユー』（ブロンズ新社、のちに新潮文庫）の名訳者として知ってました。でも、その頃は東映映画を見てなかったから、「不良番長」シリーズ（１９６８〜72）の監督とサローヤンが結びつかなかった。それと木村毅の最晩年の座談集『明治の春秋』（講談社）の「巻末余話」にも高弟として内藤さんのことが書かれていますよね。

内藤　あの座談集は僕がつくったんですよ。木村先生は学生時代からずっと出入りしていて亡くなった時は告別式まで手伝いました。坪内さんは僕の『ヘボン博士のカクテル・パーティ』（講談社）の書評を『シブい本』（文藝春秋）に書いてくれたんだよね。そんなことで、おつきあいが始まって、前作の『明日泣く』（２０１１）では坪内さんに主人公の武の父親役で出てもらったんです。その後、いろんな企画を立ててたんだけど、これが成立しないんですよ。そんな時にハンブルク日本映画祭に招待されたんです。

坪内　ハンブルク日本映画祭で『明日泣く』が好評で内藤誠特集をやりたいんで、そのための新作が必要だっていう話もあったんですよね。

内藤　とにかくそれであせっちゃってね、最初、冗談だったんだけど、『酒中日記』なら低予算で行けるかなと思えてきた。そうしたら、お金を出す人が現れて。

坪内　『酒中日記』なら、チャールズ・ブコウスキー原作の『バーフライ』（１９８７）よりもいいものを作れる自信があるって言ってましたね。

内藤　『バーフライ』はメイキングのスタッフの打ち明け話のほうが面白いんだな。ということは『酒中日記』だと。

坪内　その話を聞いた時に、説得力があって、「面白そうですね、主演は誰ですか」って聞いたら、「あなたですよ」って言われて（笑）。内藤さんはデジタルになってすごく低予算で、製作費３００万円でつくれることがわかったって言ってましたね。

内藤　足が出て、撮影が５日間で４００万円になったけど、ともかくデジタルだからキャメラ３台でできるわけですよ。

坪内　今回、内藤さんの監督ぶりを見てすごく勉強になったんですよ。ある日、ゴールデン街の手前であるカットを撮って、時間があるから、気が変わって次って言うんで、「監督、そのシーンの流れだと、その前のカットと同じ服を着てなきゃまずいですよね。でも僕、それは今日持ってないですよ」って言ったら、「何で持ってないの？」って言うんですよ。その時さすがに僕もカチンと来たんだけど、後で考えたら、撮影所育ちの最後の人なんだなと思った。パッと監督が言えば、すぐ必要なものが出てくるんですよね。

内藤　僕たちは衣裳も小道具も何でもそろっているという育ち方をしちゃってるからね。

坪内　あと東映ってロケ弁にこだわるんですよ。三上真一郎さんが「映画論叢」の連載で書いてたけど、三上さんは松竹から東映に移るでしょ。松竹はロケの時は豚汁とかカレーとかつくってそこに皆集まるわけ。ところが東映ではロケ先で昼飯はどこへ行けばいいのかわからなくて、結局、その日は食べ逃しちゃう。翌日、脇役の人が「はい、ロケ弁」って言って持ってきてくれて、「ああ、そうか東映はロケ弁なんだ」と。今回も新宿の「猫目」から銀座の「ザボン」に移動する時に、その日はロケバスがあったんだけど、地下鉄で行こうとすると「ロケ弁は？」って聞いてくるから「途中で、そばでも食べますから」って断ったんだけど、ちゃんと人数分ロケ弁を用意している。

内藤　それはそうだよ。東映はロケ弁に一番うるさいんだ。組合も強かったしね。『明日泣く』の時も、弁当の質が低下したらストップですから製作によろしくお願いしますと伝えてたのね。

坪内　監督に技術的なことをうかがいたいんですが、「ザボン」のシーンで杉作J太郎さんのせいで１２０度しか映らないっていうのはどういうことですか。

内藤　あの時は杉作さんが次のイベントがあって、すぐ行っちゃうというんで、普通３６０度で撮るなら、切り返してライトを移動させて、もう一回ライティングをやり直すんだけど、時間がない。でも１２０度の範囲なら、頭でライティングしておけば、一回もライトを動かさないで撮れるんだよ。

坪内　たしかに「猫目」や「風紋」のシーンだとあちこちライティングしていますね。キャメラがデジタルになっても、１２０度の問題っていうのは変わらないんですか。

内藤　変わらない。やっぱり切り返すとなるとライトを移動して大騒ぎになる。

坪内　中原昌也さんと僕が「猫目」でしゃべっているシーンも前と、両サイドからのキャメラで40分ぐらいノーカットで撮ってるんだけど、両方回してるからカッティング、カット割りができてる。あれはすごいと思いましたね。

内藤　編集に時間をかけて、ふつうの劇映画みたいに非常にカットのスピードを進めてるからね。とてもドキュメンタリーには見えない。ふつうのドキュメンタリーはあんなカットバックしないから。

坪内　原一男の『全身小説家』（1994）とか大島渚の『新宿泥棒日記』（1969）の中で田辺茂一とかいろんな文化人が出てくるシーンではずっとカメラを回しっぱなしでしょ。でも中原さんとのシーンはすごく劇映画的でしたよね。『酒中日記』はドキュメンタリーなのか劇映画なのかっていう問題があるんだけど、ほんとうにハプニングだらけなんですよ。だって中原さんのシーンは予定されてなかった。本来だと僕が銀座から「猫目」にたどり着いて重松清さんに合流することになっていたんです。ところが中原さんがスケジュール間違えちゃったので、急遽、「猫目」の入り口で中原さんと出会ってというふうに話を変えたのね。重松さんには、「ごめん、とにかく飲みながら待ってて」と言ったんだけど、重松さんにはもうマイクがついてるから、僕と中原さんがカウンターで会話していて、向こうのボックス席で重松さんと編集者の人が話してると、声が拾われちゃう。それで音声の人に「ちょっと静かにしてもらえますか」って言われて重松さん、むっとしてるわけ（笑）。その様子がわかるんで、ちょっと見所ですね。やっと僕がボックス席に行くと、重松さんはずっと待たされていたから、途中で怒って、キャメラに言及したりして、所詮映画だというふうに見せようとするんだけど、そこに僕がのったら、映画がぶちこわれちゃう。だから、あのシーンは、僕は一滴も飲んでない。あそこで酔っぱらったら映画が成立しないから、冷静に泥酔芝居をしてるのね。

内藤　重松さんと坪内さんは話題が豊富なんですよ。

坪内　あの日は昼間に五反田古書店展で、偶然、色川武大が編集長だった同人誌「層」を見つけて、この中でどれが色川さんの作品かとか、句読点の使い方から川崎長太郎の話になったり、実は高度な文学的な話をしてるんですよ。

内藤　だからあの話はほんとうに酔っぱらってたらできないよな。

坪内　中原さんとも「『東京タワー』（扶桑社）を中原バージョンで書けるでしょ」「でもまだ母親が死んでないから書けないですよ！」とか話してて。「『ニュー東京タワー』なら書けるかもって言ったんですけど……」「庄野潤三なんか読まない？　ビアガーデンの『ニユートーキヨー』が出てくるんだよ」みたいな会話とか文学好きの年配の人が見たらけっこう痺れると思うんですよ。

内藤　杉作J太郎が「庄野潤三に『ザボンの花』（現在・講談社文芸文庫）って小説がありま

すね」なんて教養を見せるんだよね。

坪内　その「ザボン」の帰りに中原さんと出会い、庄野潤三の話になるから。それで映画的につながったりする（笑）。

内藤　でも小津安二郎の『父ありき』（1942）なんて酒ばかり飲んでるじゃない。脚本家の柳井隆雄とか池田忠雄は丁寧に酒を飲んでるシーンの台詞を書いているんだよね。ああいうことをやりたいなと思ってるんだけど、今回はさすがに文士だから自分の台詞には責任を持っていて、言っていることは面白い。

坪内　シナリオはあるけど、それぞれが話す内容はほぼアドリブなんですよ。内藤さんは撮影所育ちだけど、今回は完全にヌーヴェル・ヴァーグの撮り方で、それが可能になったのは、デジタルで低予算だということですね。

内藤　トリュフォーが言ってるんだけど、労働者がいくら働いてるところを撮ったって面白くない。まして文士が酒だけ飲んでいたって面白くないから、ドキュメンタリーにはこういうシチュエーションで、こういうナレーションが入るとかシナリオがいるんですよ。そういう骨格がないと娯楽映画にはなっていかない。

坪内　やはり東映的なんだよね。僕はその点では大映的になっちゃったなと。大映の時代劇って江戸時代の畳はこうだとか細かい時代考証をするでしょ。だけど東映はアバウトで、映画的に成立していればオーケイなんです。たとえば永井荷風のお墓をお参りするシーンで、監督は桜のことばかり気にしてるんだけど、でも荷風って桜が好きじゃないわけ。荷風は毎年お正月になるとあのお墓にお父さんの好きな梅を供えてたのね。だから大映だったら梅を撮るんだけど、東映だから桜でありなんだよ。しかも雑司ヶ谷の墓地って桜がないんだよね。

内藤　映画って期限を決めておかないと、全然始められないでしょ。だから枷をつくって、この映画は桜が散ったら1年延ばすか、やめですって宣言しちゃったんです。

坪内　枷ってフレーム、映画ってフレームだから、監督もそういうフレームにこだわるのは僕を演出するシーンでわかった。お墓参りのシーンで荷風のお墓と僕と背後にサンシャイン60をひとつのフレームに入れたいわけ。そうすると加藤泰どころじゃないローアングルで撮らなきゃいけないんですよ。

内藤　それは、荷風が『日和下駄』で近代建築の悪口ばかり書いているからだよ。サンシャインビルをしょって坪内さんが歩いてくるから、醜いビルが見えるんだけど、お墓越しに見ると格好がつくというナレーションがあって。

坪内　だからお墓参りなのに、ありえないほど姿勢を低くしてるんですよ。しかもその時の撮影監督の女性が小柄で身のこなしが軽いわけ。彼女は地べたに寝そべって写してくれたわけね。

内藤　だからそういうごちゃごちゃも含めてドキュメンタリーじゃないことはたしかなんだ（笑）。

坪内　内藤さんは日経新聞の取材で「２０２０年の東京オリンピックをひかえて、変わりゆく東京の風景と人情を記録に写し残しておきたい」と答えていたけど、そうしたら僕が夜、銀座を歩いているシーンで「らどんな」という戦前からのバーが入っていた海洋ビルっていう、東京大空襲でも焼け残ったビルがチラッと写ってるんですよ。そのビルがあの撮影の2週間後にこわされちゃったの。

内藤　だからゴールデン街なんかもこまめに撮っているんだよ。

坪内　この映画を２０２０年に見たらまた違うものが見えてきますよ。

内藤　だいたい２０２０年の文士は、酒飲みながらわいわいやっている坪内さんと重松さんの会話を聞いてて、この人たちはどういう人たちなんだって思いますよ。

坪内　２０２０年だとアメリカの優秀な日本文学の研究者なら「文壇バー」をテーマに論文を書くと思う。そうすると彼らはこの映画を見て、銀座の文壇バー「ザボン」であんなラフな格好で来れる杉作J太郎というのは一番太い客に違いないと思うでしょ（笑）。この映画は文壇バーの記録としても貴重ですね。文壇バーは「新宿系」と「銀座系」があるけど、その両方を撮ってるのはすごく貴重ですよ。

内藤　ゴールデン街もあるしね。

坪内　ただゴールデン街は読書会をやっている「しん亭」のシーンだけで、ゴールデン街で飲んでいるシーンだと変な臭みがついちゃう。これは現代の映画だっていうことで「猫目」って新宿ではすごいスタイリッシュなバーでね。中野翠さんも本来、あの読書会にいるはずだったの。でも日にちを間違えてね、だからあの「風紋」のシーンがいいんだけど。

内藤　でも中野翠さんもよく出てくれましたよね。

坪内　中野さんは写真だって撮らせたがらない人なのに、ほんとうに、これは映画だってことわかっているのかな（笑）。でも久しぶりに南伸坊さんと話せてすごく喜んでいました。

内藤　中野さんはサンゴのネックレスをかけたりしてすごく映画的なんだよ。自前の服がきちんとしてる。

坪内　原作の『酒中日記』というのはフィクションでもあるわけね。実は「文壇」っていうのはもうないんですよ。ないんだけど、あたかもあるかのように、『オズの魔法使い』の魔法使いみたいなもので。かつて文壇とは吉行淳之介さんがいた場所だったといわれたけど、いわばその吉行さんをやってるわけ。でも吉行さんは銀座で、田中小実昌さんは新宿でしょ。だから銀座と新宿を両方やらなければいけないから大変なんですよ。

内藤　映画って終わると、いつもこういうことに気をつかってやればよかったなと、あれこれ思うんだけど、しょうがないんだね。これは映画の宿命だな。完璧っていうのを求めちゃうと、こういうものはできないし。

坪内　完璧だったらつまんないですよ。スキというものがないと。僕が一応、主演として考えていたのは、これは映画なんだぜと見る人に思わせたくないなということなんです。自分がそういうことを意識しちゃったら、そこで止まっちゃうから。とにかくキャメラが回り始めたら、もうそこはひとつの世界だから、その世界の住人になろうということだけを考えていましたね。

内藤 反省しないうちに終わったからいいんだよな。あれよあれよという間に終わっちゃったから。

「キネマ旬報」２０１５年４月上旬号

映画『酒中日記』の公開前に宣伝のため、「小説現代」２０１５年４月号で坪内さんと『酒場の言葉、その向こうにあるもの』というタイトルのもと、もう一つ対談している。故人を偲んで冒頭の一部を引用しておきたい。

坪内 「小説現代」で連載している「酒中日記」。あれは、もともと直木賞なんかを受賞した人が、毎回その受賞式のお祝いの酒の話を書くリレー連載のエッセイだったんだよね。

やっぱり色川武大さんや田中小実昌さんのは、すごく面白いね。たしか最多登場記録は吉行淳之介さんの７、８回じゃないですか。

内藤　僕は今日、対談があるんで、昔の「酒中日記」を読み返してきたんですよ。その中で、筒井康隆さんの書いたものは、ちょうど筒井さんのお金で監督した『スタア』の撮影準備をしている頃なので、僕の名前が出てくるんです。ところが、読み返してみたら、自分がまったく忘れている。「今日はザ・キャピトル東急ホテルで作品の打ち合わせをした」とかね。そんなことがあったかなと思うんだけど。この「酒中日記」はアーカイブとして、すごく貴重なんだよね。

坪内　そう、記録としての意味もある。

内藤　今度の映画では、実は初期の「酒中日記」の野坂昭如さんの言葉を、脚本に引用して、ナレーションに使わせてもらってるんです。映画の中でも、坪内さんが野坂さんから手紙貰ったっていう話をするシーンがあるので、本当はナレーションも野坂さんにお願いしたかった。

坪内　僕は新宿で２０００年の11月に暴漢に襲われて死にそうになったでしょ。そのとき野坂さんから励ましというか手紙貰って、こう書いてあったの。「かつて三島由紀夫が文壇で一番殴りたくなる顔だった。その後で、小生が三島の後を継いで殴りたくなる顔だと言われたけど、もう小生の時代じゃなく貴方の時代になったんですね」みたいな（笑）。

内藤　気の利いたいい手紙だね。そのころはまだ坪内さんの「酒中日記」の連載は始まってないでしょ。

坪内　まだ始まってないですよ。あの頃は「読書日記」ですね。「本の雑誌」で連載していました。その前に書いていたその連載では、読書だけじゃなくて、夜のお酒の話も出てくるんです。それで「ダカーポ」という雑誌から、日記の連載を強力にしたいという企画提案を受けて、「本の雑誌」の連載もかぶらないように棲み分けを考えて、夜の日記を始めたのです。あの頃の「ダカーポ」には、常盤新平さんの「銀座旅日記」、大崎善生さんの「西荻日記」、それと僕の「酒日誌」があったんです。つまり「本の雑誌」では「読書日記」で昼間の話を、夜の話は「ダカーポ」で「酒日誌」というタイトルで連載していたんです。だけど「ダカーポ」が休刊になって。

内藤　そうか、そういう流れがあったのか。

坪内　その時に講談社の寺西さんが声をかけてくれて、「小説現代」で連載を続けませんかって。それならということで、「小説現代」だったら「酒中日記」というタイトルでやろうと。寺西さんは、大学の卒論が吉行淳之介なの。彼は吉行さんに対して強い思い入れがあって。だから「小説現代」の「酒中日記」を復活させたいという思いもあったんだと思う。

内藤　色川さんの『明日泣く』を映画化する時にも、寺西さんのお世話になって。やはり縁があるんですね（『明日泣く』を講談社文芸文庫に入れてもらい、内藤が解説を書いた）……。

坪内　『明日泣く』の時は、ある日突然、電話がかかってきたの。その前にオーディションがあったらしいんだけど、どうも監督の意にそぐわないらしくて、役者を探している時に。

内藤　色川武大の父親、作家の父親っていうのは、やっぱり文学畑の人がいいなと思ってね。主演の斎藤工君が面長だから、父親役も面長な人がいいと思ったんだけど。その時に、坪内さんにお願いしようと思って。

坪内　色川さんにみせたかったね、『明日泣く』。

内藤　まったく、そうだね。

第7章

追憶の日々と人たち

故・菅原文太氏（左）、故・梅宮辰夫氏（右）と

家城組の思い出

1958年9月27日の日経新聞に「日活は事務系のみ採用」という記事が出た結果、就職に際し、東映の助監督試験だけ受けたわたしは59年春、家城巳代治《いえきみよじ》監督『素晴らしき娘たち』の第4助監督になったときは嬉しかった。美空ひばりの『悲しき口笛』以来、家城監督の映画をよく見てきたのだけれど、とりわけ入社の前年に東映で公開された『裸の太陽』には感動していたのだ。

希望通り、現代劇の東京撮影所で棚田吾郎と広渡常敏の脚本を貰って、いざセットに入ると、丘さとみ、中原ひとみ、岩崎加根子といった若い女優さんたちが紡績工場の女工姿で勢ぞろい。学生服を脱いだばかりのわたしは目の置き所に困ったくらいだ。いま参議院議長の山東昭子もその中にいた。

男優陣では江原真二郎や今井健二（当時は俊二）が工員を演じていて、恋を語り、工場の操短と生産性向上をめぐる組合問題を論じ、余暇には働く仲間たちと人形劇をやっていた。家城さんは新人のわたしにもいろいろ質問してくれたが、いま見るといささか気恥ずかしいかもしれない江原真二郎と中原ひとみの結婚式の場面なども、学生時代に「うたごえ運動」を見てきたばかりのわたしには自然に思えた。後年の「不良性感度」満載の東映にはない環境で、映画演出の基本を教わったわけである。

一方、撮影所にはそれなりにおっかない先輩がいるという噂もきいていたが、チーフ助監督太田浩児、セカンド降旗康男、サード神波史男と、みんな優しい。１期先輩で、この作品を最後に脚本課に行くことが決まっていた神波さんが自分の使っていたカチンコを渡してくれたときには、わたしもなんとか撮影所でやっていけそうだと思ったものだ。

１９６６年、降旗さんが『非行少女ヨーコ』で監督デビューするときは、神波史男、小野竜之助の脚本で、わたしがチーフ助監督を務めた。また太田さんの企画で70年、わたしは深作欣二監督『血染の代紋』で、初めて脚本にタイトルがのった。

今井正監督の『また逢う日まで』の久我美子とのガラス越しの接吻で当時の若者に人気のあった岡田英次が紡績工場の幹部役で出演していて、アラン・レネ監督の『二十四時間の情事』に出演したときのことをマルグリット・デュラスが書いた詩的なセリフを口にしつつ、しきりと語っていた。

そこで6月下旬早々、ロードショーに駆けつけた演出部一同は、映画の素晴らしさとともにエマニュエル・リヴァを相手に堂々と演技している岡田英次をあらためて尊敬した。ほかにもこの映画には、田中絹代が丘さとみの母親役で、東野英治郎がベテランの職工役で出ていたので、名優たちの演技を見ることができた。その頃、池袋の古書店で東野さんに会い、リオン・フォイヒトヴァンガーの『ゴヤ』をプレゼントして貰ったのも、懐かしい思い出である。インターネットのない時代、喫茶店や書店でばったり会うと、よく映画や芝居の話をしてその後の仕事に役立った。

家城組には、翌60年、『弾丸大将』の第3助監督として再度つくことになる。赤江行夫『不発弾』を橋本忍が脚色。南廣、木村功、淡島千景共演の異色作だ。御殿場ロケが多く安保改定闘争の年、演習地の戦車が動くと不気味だった。内田吐夢監督の二男でセカンド助監督の有作さんが、わたしや新入社員の伊藤俊也に「ただいまより樺美智子の霊に黙禱を捧げる」と気合いの入った声で言った。家城監督はそんな若いスタッフと安保問題や、フランス・ヌーヴェル・ヴァーグのこと、大島渚や吉田喜重、篠田正浩ら松竹の新人のことなど、快く話に加わっていた。

「日本経済新聞」２０２０年5月8日（夕）

ジョニーさんと呼んでいた

旧年（２０１４）11月27日の夕刻、新作映画『酒中日記』のポスター打ち合わせのために護国寺にある講談社へとわたしは急いでいた。いつもの習慣で地下鉄の新聞売り場に目をやると、日刊ゲンダイの大見出しで「ジョニー大倉、壮絶死」という活字が見えた。

すぐさま新聞を買い求めて読んだ。仕事の関係から、ジャズ方面の人たちの風聞は何かと耳に入ってくるのだが、ロックとなると、情報皆無だから、記事の内容は衝撃だった。

ジョニー大倉のキャロル時代、東映で『番格ロック』（１９７３）を監督し、主題歌と出演をしてもらったことがあるだけなので、わたしが追悼文を書くなどということは僭越なのかもしれないとも思う。が、のちに記述する、あることのために感謝の意は伝えておきたい。

最後にジョニー大倉と会ったのは、大島渚監督の告別式の日である。席が近かったので、「ジョニーさん」と声をかけた。

一緒に仕事をした助監督たちは「ジョニー」と言っていたが、わたしは最初の打ち合わせで「ジョニーさん」と言ってしまったせいか、いつも「ジョニーさん」と呼んでいた。

その告別式のとき、ジョニーさんと新しいＣＤの話くらいはしたけれども、彼には大島さんの棺をかつぐという大役があったので、長くは話せなかった。ジョニーさんも出演した『戦場のメリークリスマス』（１９８３）の主題曲の流れるなか、棺をかついでいく彼の後ろ姿はなぜかとても寂しく見えた。

　１９７３年の夏、東映同期の寺西國光プロデューサーが『ネオンくらげ』（１９７３）でデビューさせた山内えみこの主演で、売り出し中のキャロルに主題歌をうたってもらい、映画を作ろうと段取りしてくれた。山本英明と大和屋竺《あつし》の脚本、タイトルは『番格ロック』だという。

　やがて、キャロルのリーダー、矢沢永吉と主題歌の打ち合わせをすることになり、不良少女たちが都電に乗って、隣の街の女の子と喧嘩しに行くとき、窓から夕陽がビルの彼方に沈んでいくのが見えたりする気分を歌ってほしいと頼んだ。

「信じていれば　奇跡は起こる　夕日の影に　涙が落ちる」

矢沢の作曲に、ジョニー大倉の澄んだ甘い声と、英語まじりの作詞が、タイトルとともに始まり、泣かせた。

ジョニー大倉は２０１０年に青志社から出した『キャロル　夜明け前　第2章』のなかでこの映画について触れ、「熱気溢れる演奏シーンを撮影したり、バイクに乗るシーンを撮ったりと、初めての映画撮影をぼくらは楽しんだ」と書き、この映画の主題歌は「メロディと歌詞の融合という面で、きわめてクォリティの高い成功例」と語っている。

キャロルが歌う「ファンキー・モンキー・ベイビー」の演奏とカットバックして、オートバイに乗るキャロルを映すために、撮影所のオープン・セットだからいいだろうと判断し、免許のないメンバーにも、オートバイに乗ってもらったことを思い出す。矢沢永吉が「みんな、大丈夫だよな」と言っていた。

このことを２０１１年の秋にわたしは思い出してジョニーさんに頼み事をした。斎藤工主演の『明日泣く』の渋谷ユーロスペース公開と並行して、同じ建物にあるシネマヴェーラでわたしのレトロスペクティヴがあり、そのなかに東京ローカルで人気のあった『番格ロック』も、もちろん入っていた。

しかしO事務所のTさんはいくら掛け合ってもキャロル出演の映画の上映は許さないと言う。日本映画監督協会会員であるわたしは著作権と表現の自由ということで懸命に訴え、これはいまでも続く課題である。

発売中止になったものの、『番格ロック』はすでに東映ビデオの見本盤までできていて、わたしの手元にも届いていたので、それを見ながらわたしは映画上映の代わりに、ジョニーさんに来てもらい、トークショーができればいいなと考えた。

無理だと思ったが、言ってはみるものである。ジョニーさんから快諾の返事がきた。本編の上映はできなかったので、予告編を流し、そのあとでジョニーさんのギターによる『番格ロック』のソロである。会場から万雷の拍手を浴びると、ジョニーさんは「いやあ、あの映画の頃は天使の声と言われたものです」と照れくさそうに言った。そして、わたしとのトークでは自分の青春を語り、客席の質問にも丁寧に答えてくれた。

『明日泣く』の原作者、色川武大は「人生は九勝六敗くらいでいいんだ」と言っていたけれども、いまも私的上映しかできない『番格ロック』のビデオを見ながら、あの奇妙な事件がなかったら、40年ぶりにジョニーさんと会って語ることもなかったわけだから、あの最悪な出来事も一勝に入れてよいのかなと思ってみたりする。

「キネマ旬報」２０１５年２月下旬号

たった2作の楽しい思い出

瀬川昌治監督はいつも若いひとたちに囲まれていて、仕事だけではなく、面白いイベントを考えては楽しんでおられた。

亡くなられた今となって、参加しておけばよかったと悔やまれるのだが、たとえば赤坂プリンスホテルで阪神タイガースを励ます会をやるから出て来いというようなお誘いがあった。しかし、趣味にはうるさいわたしは、阪神ファンでもないのになぜ行くのかと井坂聡監督あたりに断ったのである。

人も知るように瀬川さんには清流出版から出た『乾杯！ごきげん映画人生』と『素晴らしき哉　映画人生！』という2冊の著書があって、いずれにもわたしは道化役のごとく登場させていただいているのだが、そこに書いてあるように瀬川さんとわたしが初めてお会いしたのは１９５９年夏、小林恒夫監督の『高度７０００米　恐怖の四時間』という作品だった。著作では、瀬川さんはチーフとなっているけれど、実際は鈴木敏郎さんがチーフで、瀬川さんはセカンドとして東映に登場し、新入社員のわたしがサードだった。

どうして細かいことを言うかといえば、すでに瀬川さんは新東宝で助監督をやり、東映でも村山新治監督の『今は名もない男だが』（１９５８）の脚本を書いていたのに、セカンド助監督から始めたという気配りのよさを言いたかったのである。だから翌60年に江原真二郎主演の『ぽんこつ』でデビューするさい、快調にスタートできたのだと思う。

瀬川さんとわたしが新入りで小林組の現場は大変だったと面白おかしく書かれているが、舟橋和郎脚本を改訂するのに、瀬川さんは大いに役立ちもしたのだ。

いっぽう配下のわたしは、瀬川さんが脚本を書こうとしている新聞記者もののヒントとしてベン・ヘクトとチャールズ・マッカーサーの戯曲『フロント・ページ』を翻訳するように命じられ、それを果たした。その後、第二東映、ニュー東映までできて、量産体制に入ったのに、わたしは瀬川組に二度しかついていない。

１９６１年、『乾杯！ごきげん野郎』という「東映ミュージカル」に第2助監督としてついた。いまでは有名な話だが、瀬川さんの兄上が富士銀行に勤めながらジャズ評論をする昌久さんで、その家に宿泊中のトニー・スコットが特別出演し、「ナイトフォールのブルース」を劇中で演奏することになった。まあ、スタッフのなかでは、おまえのいいかげんな英語がいちばん通じるだろうということで、わたしが彼の送り迎えの役目を引き受けた。ドラムスの南廣、ベースの世志凡太が出演していたからステージは盛り上がった。

　チーフ助監督になってからの1966年、久しぶりに『三等兵親分』という軍隊ものの喜劇で瀬川組についた。ゲートルも巻けないわれわれが陸軍のエキストラがたくさん出る作品に参加するのは一大事だったが、深町秀煕と小平裕《こひらゆたか》が助監督についてくれて、喜劇人の多い現場は楽しかった。

　クランクイン早々、小金井公園で陸軍練兵場のシーンを撮影。昭和14年頃の兵隊がラッパとともに、ワーッと声をあげていく様は、まじめに演じていてもなぜか哀しくて、おかしい。予告編で「軍隊では　真面目にやるほど　喜劇的であった」というタイトルを入れたら、瀬川さんがほめてくれた。たしか主題歌も作詞した。

　撮影中のある日、スラップスティック喜劇の話になって、評判ながら手に入れにくい中原弓彦（小林信彦）の『喜劇の王様たち』を2冊買ってきてくれたら、1冊きみにあげるよ、と瀬川さんが言い出した。翌日、家人がルノーを運転し、関口水道町（現・文京区関口一丁目）にある校倉《あぜくら》書房を探し当てて、待望の本持参で嬉しそうに撮影所へやってきた。瀬川さんは面白いことのためにはいつも前向きなかただった。

「キネマ旬報」2016年9月上旬号

お役に立てなかったお詫び

2010年4月19日の日録に「一水会のひとたちとともに家人が作ったスウィートポテトとブルースターの花を手に、家人同伴で森下町の清順宅を訪ねる。16階の通路からは建設中の新東京タワー、部屋のベランダからは隅田川と東京タワーが見えた。一同、大いに酒を飲み、長時間、談」とある。

記念写真には鈴木（清順）ご夫妻を中心に武田一成、葛生《くずう》雅美、澤田幸弘、蔵原惟二《これつぐ》、岡田裕といった日活時代からの清順さんを囲むメンバーの顔があり、「つぎは松原智恵子を呼びましょう」などという話もきこえたので、「一水会」の集まりは古くからあったらしく、わたしたちもゲストとして招かれたようだが、そのわけを書くと、恥ずかしい思い出になる。

１９７４年、『殺しの烙印』（１９６７）を最後に日活から追放されていた清順さんを、東映がよんで7年ぶりに監督していただくという企画が立ち上がり、清順共闘の佐々木守と東映側のわたしが脚本を書くことになったのだ。海援隊のヒット曲『母に捧げるバラード』が素材で岡田裕介主演ということになっていた。

吉原の遊郭街が「トルコ風呂」に転じていくなかで、一軒だけ昔のままの面影を残す店が舞台で、主人公は偏屈な江戸っ子である。やがて出来上がったものは東映調ではなかったけれど、わたしは面白いと思った。

結局、その台本は通らなくて、東映の監督がついていながら何だ、というような冷たい視線をあびつつも、多忙なシナリオライターだった佐々木守がやや抜けたまま、清順さんとふたりで、もう一本、これこそ東映調という物語を作ろうとして、がんばった。

有名監督を迎えて、初めは山の上ホテルで執筆していたのに、２カ月が過ぎた頃は企画費もなくて、わがマンションでまかなう始末。困ったのは当時、歯のわるかった清順さんのために、清順ファンの家人がウナギやサクラエビといった食事ばかり作るので、わたしは肉を食べられなかったことだ。清順さんはそんなことに気づくこともなく、長男の研の、機械仕掛けで箱から手が出る奇怪な玩具で一緒に遊んだりしていた。

その息子は大学院生の時、清順さんがやりたがっていた檀一雄の『花筐《はながたみ》』の企画書を書いたりしたが、実現しなかった。役立たずの親子ですみません。わたしは流れた脚本に手を加え、鈴木清順原案、荒戸源次郎製作、真喜志きさ子、梅宮辰夫、加賀まりこ出演の『時の娘』を監督した。

「キネマ旬報」２０１７年4月下旬号

先輩の年賀状

年をとるとお互い年賀状はもういいだろうという関係は誰しもあるはずだが、吉田達先輩とは年賀状のやりとりをしていた。毎年きまって、「なんとか生きています」と書かれているので、読むたびに、はて、どういうことだろうと、しばし考えるのだった。その決まり文句の年賀状が今年は届かず、訃報を聞くことになった。

昨年（２０１８）の1月下旬、「不良番長50周年」の同窓会が東京プリンスホテルであったとき、吉田さんは出席の返信があったのに欠席だったので、どうしたのだろうと脚本家の松本功と話し合ったことを思い出したが、同時期に刊行された徳間書店の『不良番長 浪漫アルバム』には元気そうな近影もあったので、あまり気にもせず、にぎやかに会は終わった。

1959年の春、東映の助監督として初めて東京撮影所に出向いたときは、やはり緊張した。自然の流れとして、撮影所勤務の「芸術職」（本当にそう呼んでいた）で1期先輩に当たる人たちを頼りに仕事を教わることになるのだが、そのメンバーは助監督だった神波史男と野田幸男、製作進行の矢部恒と吉田達の4人だった。

みんなまだ、学生気分があって、仕事から解放された時間にいろいろ話をしてくれたことで、撮影所にいるのが気分的にラクになった。吉田さんは「僕の卒論はラフォルグなんだよ」というようなことも話してくれた。

野田さんやわたしのように監督志望のものはいわゆる「苦節十年」の助監督生活を送り続けるわけだが、脚本家になった神波さんや企画の矢部さんと吉田さんは一足先に画面にタイトルが出て、われわれとは差がついた。

矢部さんも吉田さんも相当に幅広く作品を残していて、東映主流の任俠映画やギャング映画でもよく仕事をしていたけれど、そこには岡田茂や俊藤浩滋といった冠がついているものも多いので、吉田さんが中心になって全体を仕切っていたようにみえる作品の思い出を書いておきたい。

1966年の新春早々、神波史男とこれも1期先輩の小野竜之助の共同脚本による『非行少女ヨーコ』で、2期先輩の降旗康男が監督デビューすることになって、わたしはそのチーフ助監督をつとめることになった。

「久しぶりの現代青春映画で、栗山富郎と加茂秀男プロデューサーの下に吉田達先輩がつき、やくざ、ギャングの世界からの解放感あり。ソ連の若者を描くアクショーノフ『星の切符』を読み始める」などと日録には書いてあり、降旗、神波、小野、吉田がタイトルに並ぶことで、いよいよ自分たちの時代がきたと期待したのである。

ヒロインのヨーコは緑魔子で、地方から上京して、荒れた都会生活をしたあげく、心機一転、ヨーロッパへ旅立つという物語だが、そのヨーコにはモデルの少女がいて、新聞でも取り上げられた素材だった。

　ヒロインの緑魔子が恋人の谷隼人と愛し合うきっかけにもなる、劇中映画のサントロペの場面は、外国ロケの予算などないので、吉田さんに言われて、わたしが外国人男女を、まだ寒くて人のいない、湘南の海へ連れていき、ヨットに乗せて撮った。

　若いプロデューサーの参加と新人監督のせいで、この映画に登場する荒木一郎や石橋蓮司、東野孝彦、大原麗子、城野ゆきたちが東映映画としては新鮮だった。タイトルには出ていないが、若い頃のりりィも出ていた。彼女は自身の遺作となった『追憶』（２０１７）にも出演しているので、降旗監督とは縁が深かったわけだ。

　これも吉田さんが連れてきて、パーティの場面に寺山修司が特別出演した。寺山が若い俳優たちの等身大で、リアルな演技を見ながら、台本にない即興のセリフで、「こんな所へ来る連中は、ラジオ体操でもすりゃあ、いいんだ」と呟くのがおかしかった。

　音楽は八木正生。タイトルバックのジャズ演奏には渡辺貞夫や日野皓正も出演していた。それが名手、仲沢半次郎のモノクロ撮影ではシルエットになっていたので、ジャズ好きの助監督たちは、もったいないと言ったものだ。

ちなみに石井輝男監督が初めて東映で撮った『花と嵐とギャング』（１９６１）の企画は斎藤安代《やすのり》と吉田達となっていて、その音楽を担当したのは三保敬太郎で、『明日泣く』の音楽を作曲してもらったジャズピアニスト渋谷毅さんはそのとき助手をしていたという。

１９６８年１月、組合の末端役員に選出されたので、朝から組合の事務所でビラを書いていると、仕事の連絡がきた。舟橋聖一原作、成澤昌茂監督、佐久間良子主演の『雪夫人繪圖』である。セカンド澤井信一郎、サード橋本新一で、当時、よく仕事をしていた編成だった。ただ変わったことといえば、吉田達プロデューサーが「撮影には松竹の成島東一郎を起用して、助手の阪本善尚とともに来てもらう」と告げたことだ。吉田さんは相変わらず新しい人を抜擢するのが好きだなあと思ったけれど、撮影所でもすんなり受け入れられて、以後、阪本とは長い付き合いとなった。

その年の夏、いよいよ吉田さんと矢部さんのプロデュースにより野田幸男が梅宮辰夫主演の『不良番長』で監督デビューすることになり、野田さんから「チーフでついてほしい」と頼まれた。脚本は同期の松本功と山本英明だった。

のちに吉田さんが語ったところによれば、最初、この企画は井上梅次監督のはずだったが、２５０万円の演出料では予算にはまらないので、野田さんになったということである。社員監督の演出料は月給とは別に10万円で、翌年、わたしがこのシリーズでデビューしたときも変わらなかった。

同じく梅宮辰夫主演ながら、その後、わたしは矢部さんの企画、小野さんの脚本で「帝王」シリーズや「夜のならず者」シリーズを監督するようになり、吉田さんと距離ができた。筒井康隆原作『俗物図鑑』（１９８２）の脚本を桂千穂と書いたときも、吉田さんには当然、読んでもらったが、共同作業はできなかった。

吉田さんプロデュースの最後の仕事は、山城新伍が監督し、わたしが頼まれて脚本を書いた『殺しのメロディ Lady Smith』（１９９０）という、始まったばかりの東映ビデオの作品だった。梅宮辰夫や峰岸徹が出演している長崎県諫早市のロケ現場へ、吉田さんと陣中見舞いに行き、一緒に酒を飲んだ記憶がある。

この映画には、わたしの知らない、ふしぎな雰囲気のある男優や女優が何人か出ていた。

いつかそのうちに、彼らはどういう経歴の人たちで、現在どうしているのか、訊いてみたいと思っていたのだが、山城新伍も吉田さんも亡くなってしまった今、それもかなわない。寂しいことである。

「映画芸術」2019年夏号

センスのひと秋山道男

秋山道男は若松プロの映画でキャリアをスタートさせただけに、仕事が忙しいときでも試写会にはよく来ていた。そこでおたがい、「やあ」と声をかけ合うだけなのだが、「キネマ旬報」誌の外国映画レビューを書いていた頃は、ミチオちゃんが来ているのだから、この作品には彼が気にするだけの何かがあるのだと思ったものだ。だから坪内祐三原作主演の拙作『酒中日記』を、内田春菊さんと一緒に京橋テアトル試写室まで見にきてくれたときは嬉しかった。もっともその映画には彼の身内ともいうべき南伸坊と中野翠まで出演しているのだから当たり前のことかもしれない。

秋山道男と知り合ったのは荒戸源次郎が主宰する天象儀館の芝居を通じてだった。木全公彦の『異能の日本映画史』（彩流社、2019）によると、それは1972年頃のことだそうで、わたしはそこで知り合った大和屋竺に『番格ロック』（１９７３）、田中陽造に『地獄の天使　紅い爆音』（77）の脚本を頼んでいる。それのみか、舞台美術担当の多田佳人に児童読物『インディアン日本をめざす』（小峰書店、１９７７）の挿し絵まで描いてもらい、80年には東映を離れて初めての映画『時の娘』を監督することにもなった。

　そんなわけで、天象儀館をめぐる英才奇才には敬愛の念を惜しまないわたしだったが、とりわけ秋山道男のセンスには一目置いていた。大和屋竺監督『愛欲の罠』（１９７３）のあと、秋山道男がいよいよ監督することになって、わたしに脚本をと荒戸が言ったことがあるのだけれど、いつのまにか立ち消えとなってしまったのが今となっては惜しまれる。その頃、わがマンションに荒戸や上杉清文たちと一緒に秋山道男も来たことがあって、座る椅子がなくなり、「ミチオちゃんは赤ん坊の椅子に」と言ったら、素直に小柄な体をベビーチェアに預けていたのを懐かしく思い出す。

　そんなときに秋山道男がわたしの子どものためのミヤゲだと言って持ってきてくれる昆虫図鑑などは、センス抜群で、「戦前のこんな古い箱入り図鑑をどこで手に入れたんだ?」とわたしが訊くと、荒戸が「ミチオちゃんなら、どこからだって持ってくることができるから」と笑って答えていた。大島渚監督『新宿泥棒日記』で横尾忠則が新宿紀伊国屋の本を「調達」するときの技術指導はミチオちゃんだったそうだから、妙にナットクできた。

そういえば若松プロの青春群像を描く白石和彌監督『止められるか、俺たちを』（２０１８）という映画を東映の試写室で見たとき、小山明子さんもきていて、ご挨拶した。大島渚監督がどう描かれているか見たかったはずだが、わたしは秋山道男の描かれ方に興味をもって見た。

１９８２年に拙作映画に合わせて、『俗物図鑑の本』という洒落た本を佐山哲郎（のちにスタジオジブリ『コクリコ坂から』の原作者となる）編集で群雄社から出してもらったが、これも陰で支えてくれた秋山道男のセンスによるものだという話だった。タイトルとしては末尾に「御協力感謝」として、「秋山道男（面白い人）」とあるだけだが。

『俗物図鑑』が西武池袋にあったスタジオ２００を手始めに公開されたときには、秋山道男はすでに西武の「おいしい生活」の流れにのって、大いに売り出していた。発掘したチェッカーズの映画化のさいには脚本の打ち合わせまでしたのに、これも詰めが甘くて、ウヤムヤになってしまい、いろいろ世話になった奇才の期待にこたえられなかった。

荒戸源次郎の通夜のとき、上杉清文、南伸坊、秋山道男とみんないて、どこかで飲もうということになったのに、わたしは明朝、告別式にも参列するつもりだから、早く帰ると言って別れてしまった。ミチオちゃんの早すぎる死を思えば付き合っておけばよかったと悔やまれる。

「スペクテイター」２０２０年

ワンス・アポン・ア・タイム・イン・バンチョウ

２０１７年、徳間書店から『不良番長　浪漫アルバム』という本が出たのを機に、番長同窓会をやろうということになり、その打ち合わせのために番長、梅宮辰夫が幹事役のメンバーを駒沢の「鮨辰」に招待してくれた。その席でわたしが、撮影所のある大泉で適当な店を探そうかと言うと、梅宮の意見で、東京プリンスホテルで盛大にやろうということになった。

翌18年1月22日、早い時間に寝てしまう梅宮のために、昼間から酒を飲み、にぎやかに会は終わった。夜になって、大雪となったから、幹事としてはほっとしたものだ。

しばらくして「週刊大衆」で梅宮の自伝的連載が始まり、わたしもときにからかわれながら登場していたので、それを読みながら、彼は大丈夫だなと思っていた。

だから旧年（２０１９）12月12日の午前、ネットでニュースを見て、梅宮辰夫逝去の報を読んだときには慌てた。すぐつけたテレビでは各局ともそのことを伝えている。午後になると、「デイリースポーツ」に始まり、「フライデー」や「アサヒ芸能」「毎日新聞」「日経新聞」などから取材の電話があって、やはり彼は昭和のスターだったのだと思う。

家族だけの葬儀だとテレビが報道していたので、報道各社の連絡をとってきた東映の宣伝部に急いで電話し、場所を訊いたのだが、不明だという。そういえば、『明日泣く』の撮影中に連絡をしたマネージャー氏の携帯電話の番号があったはずだと、早速かけてみる。

はたして電話は通じ、翌13日に東武伊勢崎線の五反野にある「統美」という建物に来るようにとのこと。しかも、その場所を誰にも教えてはいけないと言う。たとえば仕事の関係で、よく会っている瀬戸恒雄プロデューサーなど、日本テレビで梅宮と「マッドポリス」までやっていたのだが、口外無用との約束を守り、教えなかった。小菅駅のひとつ先にある五反野は初めて行くところだったので、梅宮の早稲田高校の後輩で、『明日泣く』の脚本と監督補佐をやり、面識のある長男の研が同行するという申し出を受け入れた。

ひと気のないビルの一室で、梅宮は布団の上でひとり横になっていた。まるで眠っているかのようで、声をかけたら、目をさましそうな、きれいな顔だった。

1959年、小林恒夫監督、高倉健主演の『高度7000米 恐怖の四時間』の撮影現場で初めて梅宮辰夫と一緒に仕事をした。新入りのわたしはカチンコを打ちながら駆け回っていたが、ニューフェイスだった彼は中原ひとみを相手に車のセールスを競う恋人役で、甘いマスクを活かした現代青年を演じ、期待の新人だった。

同年の秋、島津昇一監督の『スピード狂時代 命を賭けて』の助監督を勤めた。作品はカミナリ族、今でいう暴走族の話で、主演の水木襄がオートバイの好きな高校生で、梅宮辰夫は堅物で勉強家の兄貴役だった。彼の勉強ノートが小道具として必要となり、限界効用逓減《ていげん》の法則のグラフなどが書き込まれた、自分の経済学ノートを持参した。のちの番長は「よく勉強したんだね」と言ってくれた。

第2助監督になってから印象に残るのは、ニュー東映の深作欣二監督『誇り高き挑戦』で鶴田浩二の部下の新聞記者役になった梅宮である。レッド・パージで大新聞社を追われた鶴田が業界新聞に入っても、古い傷にこだわり、あくまで「日本の黒い霧」を追及しようとするのに対し、若い梅宮は、周囲に波風が立たぬよう、適当なところで切り上げようとすすめ、「僕はアスファルトのまっすぐな道が好きなんです」と言い、鶴田に苦い顔をさせる。そのスマートな演技が巧いと思った。

１９６８年、１期先輩の野田幸男が梅宮の主演で監督をすることになり、チーフ助監督をしてほしいと頼まれた。プロデューサーも１期先輩の矢部恒と吉田達、脚本は同期の松本功と山本英明だった。そのとき、わたしは学生寮で同室にいて、医者になった先輩に「過労により休暇をとる必要あり」といった診断書を書いてもらい、有給休暇を取っていたのだが、野田さんは「うちの組について、ラクをしたらいい」などと言うのだった。本直しから付き合い、徹夜の作業も多かったけれど、番長梅宮を取り巻く俳優たちも若く、現場は楽しかった。

岡田茂本部長からはマーロン・ブランド主演『乱暴者《あばれもの》』（１９５３）のヒットを念頭に置いた上でロジャー・コーマン製作の低予算映画『ワイルド・エンジェル』（１９６６）の線でやれという指示があった。後年、わたしはマーロン・ブランドの自伝『母が教えてくれた歌』（角川書店）を訳し、ロジャー・コーマン来日のおり、パンフレットにサインをしてもらった。野田さんと一緒にヒッピーやサイケやバイクの勉強もした。梅宮がバイクに似合い、運転も巧いのが嬉しかった。

新しいファッションを取り入れることにも熱心で、音楽の八木正生がラヴィ・シャンカル風の音楽をとり入れたいというので、美術部と一緒に桜台に住んでいた芸大の小泉文夫教授宅を訪ね、シタールのイミテーションを作ることにした。

小泉教授といろいろ話しているうちに、先生が「きみたちの番長映画は面白そうだから出たい」と言いだし、ついには頭にターバンを巻いたインド人のシタール演奏家として出演することになった。平凡社ライブラリーなどに入っている先生の著作を読むたびに、思い出しては笑いがこぼれる。

『不良番長』はシリアスな出来栄えだったが、梅宮辰夫の新生面が評価されてシリーズ化され、翌69年、4作目の『送り狼』でわたしは監督デビューすることになった。

「キネマ旬報」誌の野村正昭インタビューによれば「せっかく一所懸命にオリジナルを書いたのに俺の脚本は通らないのかと、一寸《ちょっと》ガッカリしたね。考えあぐねて、深作さんや伊藤俊也に、どうしようかなと相談してるけど、みんな、とにかくやった方がいいと言ってくれた」と語っている。自分が書いたオリジナル脚本のタイトルが「ちんぴらとして死す」だったので、梅宮たちカポネ団が殴り込む前に拝む仲間の墓標に「ちんぴらとして死す」という文字を書いたこともある。

当時の映画青年としてわたしもヌーヴェル・ヴァーグやリチャード・レスターの映画が好きで、チーフをやっていても、レンズは何ミリにした方がいいとか、望遠レンズで撮りましょうと言うタイプだったので、岡田さんには「映像で撮るなよ、芝居でつなげ」と何度も言われた。そこで京都から山城新伍を呼んでもらい、コメディ・タッチでいくしかないと腹をくくった。梅宮の遺著『不良役者』には山城が東京に居着くようになったくだりが面白おかしく書かれていて、ふたりはやがて「兄弟」と呼び合うようになり、「帝王シリーズ」でコンビを組むようになる。

デビューしたとはいえ次回作が決まっているわけでもないので、深作欣二監督が『血染の代紋』の脚本を一緒に書こうと言ってくれたときは喜んで引き受けた。ともにスラム育ちという設定の梅宮辰夫と菅原文太が共演する作品で、ふたりとも息が合っていたと思うが、梅宮はわたしに文ちゃんの役のほうがよく書けていると言った。本誌（映画芸術）1

９７０年４月号で小沢信男がベストワンにあげ、長い文章を書いてくれたのが嬉しかった。

２００８年10月にＴＢＳで徳光和夫の司会による「徳光和夫の感動再会〝逢いたい！〟芸能人スペシャル」という番組があり、その収録のため久しぶりに東映東京撮影所へ出向いた。梅宮はわたしが持参した台本を見て、「こんなに書き込みがあったのか」と感心してくれたから、「真面目に『不良番長』を撮っていました」とわたしは応じた。そんなことがあったせいか、２０１０年の夏、色川武大原作、斎藤工主演の『明日泣く』に地下カジノの地回りという役でノーギャラ出演してくれた。実は、おそるおそる、いちおうの出演料を提示したのだけれど、「そんな安いギャラなら、貰わないでおこう」というようなことだったと思う。

１９８０年、わたしが初めて東映を離れて荒戸源次郎製作のシネマ・プラセットで『時の娘』を監督したときにも梅宮は加賀まりこと共に協力してくれた。

旧年の暮れ、その映画の主演女優である、真喜志きさ子さんが沖縄から上京し、訪ねてきてくれて、40年ぶりに会い、長時間、話しこんだのだが、撮影のため、鎌倉で合宿中、荒戸主催の天象儀館の女優さんたちが料理しているのを梅宮が細かく手伝っていたということである。

これも『不良役者』に書いてあることだけれど、いろいろ世話になったお礼にと、わたしが釣り好きの梅宮のために、いしいしんじの作品からヒントを得て、幻の魚シーラカンスを釣り上げる『老人と海』の映画化を申し出た。

「進歩したCGを使えば何だってできる」とわたしが言ったところ、釣りにCGはいけないと梅宮にたしなめられたのも、今は懐かしい思い出となってしまった。

「映画芸術」2020年春号

きれぎれの良き思い出

同世代とはいえ、東映の助監督から始め、68年にようやく監督になったわたしと、実験映画でスタートし、60年代の初めにはもう自作を次々に発表していた大林宣彦監督とでは、なかなか接点がなく、具体的にお付き合いしたのは80年代に入ってからである。

しかし同級生で、ハーバード大学の留学から帰国したばかりの美術評論家、石崎浩一郎が近くに住んでいて、その話のなかに友人として、大林監督の実験映画のことが出てきたのだ。先日、衛星放送で『Complexe＝微熱の玻璃あるいは悲しい饒舌ワルツに乗って葬列の散歩道』が放映されて興味深く見たのだが、石崎はこの頃の大林映画に付き合っていたらしい。できれば一緒に見て、話を聞きたいところだけれど、その石崎も数年前に亡くなってしまった。哀しくも、時は過ぎゆくである。

　これまた最近になって、桂千穂が『HOUSE　ハウス』よりも前に書いていたという『花筐』が映画化されて評判になったわけだが、桂さんを通じて、わたしは大林さんを知った。

　１９８２年、書いた作品がほとんど映画化されていくことに調子づいた桂さんとわたしは、筒井康隆原作『俗物図鑑』をわたしの監督でやろうという計画を立て、シナリオを仕上げた。自信満々、山藤章二装丁の台本まで印刷して、映画会社に提示した。しかし、こんな面白い台本をというふたりの見込みははずれて、どこの映画会社ものってこなかった。

　さすがに東映の岡田茂社長だけは、憐れと思ったのか、衣裳小道具、スタジオなど、撮影所にあるものは何でも使っていいという許可を出してくれた。

　これまた東映同期の工藤寛治と東田成太郎が作ってくれた６００万円の製作費から、さきにスタッフのギャラだけは払い、キャストのほうはプロ、アマにかかわらず、撮影中は執筆活動のできない主演の平岡正明をのぞき、一同ボランティア出演ということになった。

この流れのなかで、自殺評論家役の大林さんの怪演が生まれたわけだが、大林夫人にも令嬢、千茱萸さん演出の劇中劇に出演していただき、当方としては、大助かりだった。

クライマックスでは平岡正明、南伸坊、上杉清文、末井昭、安岡力也や、音楽も担当したヒカシューの巻上公一たちがフリージャズを演奏しながら、砲声のなかで哄笑《こうしょう》とともに死んでいくのだけれど、大林さんはひとり、ピアノで「エリーゼのために」を演奏して生き残るというシーンをアドリブでつけ加えた。

だから翌83年、大林さんが筒井康隆原作の『時をかける少女』を監督することになり、わたしが新人、原田知世の父親役を頼まれたとき、恥ずかしさをこらえて承諾した。『俗物図鑑』では平岡正明の夫人役だった入江若葉さんが今度はわたしの相手をつとめてくれて、撮影も同じく阪本善尚だった。大林家のひそみに倣い、早稲田中学に通っていた長男の研が生徒Cの役で知世ちゃんのクラスメートになって出演した。

こうしてお付き合いが始まり、自主映画の面白さや苦労を語り合っているうちに、わたしが福永武彦の『廃市』を映画化したいと思っていることを話したのだった。あれはアンドレ・カイヤットの『火の接吻』の構成だねとか、『時の娘』の加賀まりことも映画化を話し合っていた、などと言っているうちに、実は大林さんが長年にわたり『廃市』と『草の花』を撮りたいと思っていたことを知る。

『俗物図鑑』では一家をあげて、すっかりお世話になったのだから、わたしは脚本にまわりましょうと申し出て、新潮社の徳田義明さん同伴で、森岡道夫プロデューサーらとともに福永夫人宅へ著作権の許諾を頂きにあがったという記憶がある。

『多重映画脚本家　桂千穂』（ワイズ出版）によると、「内藤誠さんが尾道で『時をかける少女』に出演しまして、そこで大林さんと『廃市』のシナリオを書こうっていうことになった。その時僕は、同じ尾道で大林さんのテレビの2時間物、『麗猫伝説』を書いていました。その時にですね、二人で『廃市』のシナリオを書くって聞いて、頭にきまして、何で、僕にもやらせてくれないのかって、割り込んだんです（笑）。その結果、内藤さんの親戚がですね、柳川の『おはな』っていう超一流の旅館をやってらして、その縁故で、泊めてもらいました。良かったですよ！　宮さまが入ったっていう総檜《ひのき》作りのお風呂に入ったりして殿様気分です」と、最後はメデタシであった。

このあと、『時をかける少女』の脚本を書いた剣持亘さんを交えて、角川アニメ『少年ケニヤ』の脚本を書いたが、さきに桂さんと書いた『幻魔大戦』にくらべると、ずいぶん絵に省略が多く、低予算で仕上げたなあという感想をもった。だが、１９８３年の「話の特集」８月号の四方田犬彦司会、大林、内藤による『小さな映画の可能性』という座談会で、今の大林さんの実力からいけば、『廃市』をメジャーで撮ることも可能だというわたしに対し、大林さんはこう言っている。

「作家が散文詩にしようか四行詩にしようかと悩むような形で、一千万円映画にしようか一億円映画にしようかということを同じレベルで考えることが、映画作りの面白さだと思うんです。そういう意味で『廃市』のような映画は、低予算で作るからこそ面白い」と。

『廃市』の参加者は阪本善尚、内藤忠司、入江若葉、根岸季衣、峰岸徹といった、なじみの人が多く、柳川のロケ現場も楽しかった。

大林さんのプロデュースで、今関あきよし監督の『アイコ十六歳』の脚本に参加したときなどは、スムーズに映画化されたけれど、そのあと、台本まで印刷しながら、クランクインできない作品もあった。

84年、チョー・ヨンピルの『釜山港へ帰れ』が大ヒットしていて、その映画化が松竹と韓振《ハンジン》興業の合作ということで企画された。鈴木和年プロデューサーのもと、大林さん、桂さんとともにプサンからソウルへとロケハンまでしたが、中曽根政権下、日韓合作はまだ無理ということで流れてしまった。

次はさらにスケール・アップして第一企画の製作により大林監督、桂、内藤で天正遣欧少年使節を描く大作『少年きりしたん』の脚本も書いた。これも挫折したのだが、後年、ヴァチカン宮殿を訪ねたとき、法皇に会うために、少年たちが、この石畳の上を擦り切れた草鞋でペタペタ歩いていったのだと思い、切ない気がした。

さらに、わたし一人でシナリオを書いたものとして松竹、升本喜年企画『愛犬物語』がある。九州の阿蘇から玉名にかけて、ていねいにロケハンし、船越英一郎の面接までした。

こんなことをきれぎれに思い出しながら、遺作『海辺の映画館　キネマの玉手箱』を、コロナ騒動のなか新宿東宝シネマで早朝一回かぎりの上映で見てきたのだが、大林さんは編集まで自分でやっていて、好きな映画をよくぞ仕上げたと感無量だった。

「大林宣彦メモリーズ」キネマ旬報社

多重人格教師の思い出

北里宇一郎、北川れい子編集の『多重映画脚本家　桂千穂』（ワイズ出版）という本があって、そのなかで桂さんは筒井康隆原作の『俗物図鑑』（82）を映画化した頃が「僕のピークじゃないですか、本当に。自分のお金で、好きなことやったんですから、言うことないです、ハイ」と語っている。

　この自主映画を監督したわたしは、現場に出るということで、現金は出さなかったが、桂さんのほかに東映で同期の工藤寛治と東田成太郎が自分の貯金から製作費を出資してくれた。その東田が突然亡くなり、桐ケ谷斎場の通夜に工藤と一緒に行くということで支度をしていると、桂さん逝去の報が入った。

　過日、家人とともに、リハビリセンターにいた桂さんを見舞ったあと、しばらくして面会謝絶という事態になり、ことし（２０２０）の夏わたしは、習慣にはない暑中見舞いを出して、ご無沙汰を詫びた。それに対し、律儀な桂さんからの返事がなかったので、気にしていた矢先の訃報だった。

『俗物図鑑』が名古屋で公開されたとき、桂さんがわたしの実家に泊まるということがあって、そのとき、映画好きの母が「桂千穂という名まえのかただから、女性かと思って気にしていた」と言うと、桂さんは庭先から伊吹山を見ながら「ぼくは名古屋の陸軍幼年学校にいました」と笑って答え、そんなに年上の先輩とどうして脚本のコンビを組むようになったかを説明しなければならなくなった。

１９７７年の夏、わたしは東映京都撮影所で大島渚監督と『日本の黒幕』の脚本を書いた。シナリオは現代思潮新社の大島渚著作集第三巻に掲載されているけれど、四方田犬彦の解説にある通りの事情で、撮影にはいたらなかった。その結果、大島さんの事務所に雇われていて、東映からギャラを貰えなかったわたしを気の毒に思ったのか、企画の日下部五朗が鷹森立一監督、千葉真一、真田広之、秋吉久美子共演の『冒険者カミカゼ』（１９８１）の脚本を頼んできた。それは長崎の軍艦島にロケーションするほど、予算をかけた娯楽作品だったが、急な企画で脚本を書く時間がない仕事だった。

そこで、共同ライターをつけた方がいいのだが、誰かいないかと日下部さんは訊いた。とっさにわたしは、これまで仕事をしたことはないけれど、かつて脚本監督した拙作『ネオンくらげ』（1973）を「映画芸術」誌の73年度ベストテン選考で「昭和十一年には溝口健二が『祇園の姉妹』、二十年代には吉村公三郎が『偽れる盛装』で、肉体だけで状況を切り開いていく不毛な女の子を創造した。その流れが突然『ネオンくらげ』で潔然と思いがけなくも花を開いた。この一位は絶対に動かない」とまで書いてくれた桂千穂という先輩となら、うまくいくはずだと言った。当時の東映で超低予算の映画しか撮れず、意気消沈していたわたしを大いに元気づけてくれたかただったのだ。

実際、わたしの予想は当たり、この先輩からホラーや怪奇もののジャンルにわたり、わたしの教養に欠けているものを教わりながら、楽しく仕事ができた。岡田茂社長が『冒険者カミカゼ』の出来をほめて、ふぐ料理店で慰労の席を設けてくれたときにはもう、桂さんと共同脚本で真田広之主演により、平井和正原作の『幻魔大戦』を映画化したいから、角川文庫で数冊読んでいただけないかと申し出たほどだった。

結局、その企画は角川春樹社長の耳に入り、りんたろう監督のアニメ脚本を二人で書くことになったのだが、以後、それまで縁のなかったロマンポルノの世界も紹介してもらい、仕事の分野がひろくなった。

１９８４年の映画を桂さんと四本も書いた。『アイコ十六歳』（今関あきよし監督）『唐獅子株式会社』（曽根中生監督）『女猫』（山城新伍監督）『廃市』（大林宣彦監督）である。

桂さんによると、二人で16本の作品を書いたそうで、映画化の打率はいいと思うのだけれど、できなかった作品もあって、印刷された台本の頁を繰ってみると、なつかしさとともに、残念だったという思いもよみがえる。いい作品ほど流れてしまったという気がするからだ。

１９８２年、日活創立70周年記念作品と表紙にしるされた戸川昌子原作の『夢魔』のシナリオがある。桂さんが語るところでは、小沼勝監督は面白いと言ったのに、主演の樋口可南子がロマンポルノには出られないということで流れてしまった。桂さんは「もの凄く頭にきて」、それなら次は、プロの俳優の出ない映画を作ろうということで、『俗物図鑑』につながったのだと語られている。そういえば、この映画では小沼さんのアパートを撮影に使わせてもらった記憶がある。

１９８４年、チョー・ヨンピルの『釜山港へ帰れ』が大ヒットしていて、その映画化が松竹と韓振興業の合作ということで企画された。鈴木和年、佐藤邦夫両プロデューサー、大林宣彦監督とともに脚本を担当する桂さんとわたしは釜山、ソウルとロケハンし、第二稿まで書いて台本を印刷したが、中曽根政権下、日韓合作はまだ無理という説明があって、流れてしまった。

そこで同年、大林監督で天正遣欧少年使節の物語を描く『少年きりしたん』の脚本を書いたが、これも実現しなかったので、後年、中部大学刊行の「アリーナ」誌にわたしが撮影したヴァチカンの写真を添えて、シナリオだけは発表した。さらにこの年には千葉真一の企画で、谷村新司の歌が重要な意味をもつ『マイ・ボーイ』という脚本も桂さんと書いていて、印刷台本が手もとに残っている。

最後に、これはわたしが監督するつもりで共同脚本を書き、星新一さんの映画化許可までもらった『ボッコちゃん』の台本もあって、工藤寛治が関係していた株式会社レポ・システムの名前で製作準備までしている。映画はイメージしているときは楽しいが、実現するのは大変だと、桂さんとはよく語り合った。

「映画芸術」２０２０年秋号

成澤組の贅沢で濃密な時間

２０２０年の「キネマ旬報」5月上旬・下旬合併号で「成澤昌茂・映画と芝居のはなし」の特別篇があって、わたしも『雪夫人繪圖』と『妾二十一人 ど助平一代』の二作品で助監督をしたときの日録抄を2ページにわたって掲載した。生前の成澤昌茂監督には懐かしく思っていただけたかもしれない。

仕事が終わると、監督ともども、わたしの運転で歌舞伎座や新橋演舞場、国立劇場などへ芝居を見に行き、そのあと、六本木あたりで、食事をしながら、芝居の話をして、北沢のお宅までお送りしてから帰宅するという、いま考えても贅沢で濃密な時間の日録であった。その後しばらくして、わたしはデビューすることになるので、この成澤監督のもとでの芝居づけの日々は、いい体験になった。

野村正昭著『デビュー作の風景』（DU BOOKS）によると、自分の脚本で監督デビューできないわたしはいろんな人に相談していたらしいが、成澤さん宅にももちろん伺っている。いまでも記憶にあるのは成澤さんが「『不良番長 送り狼』なんて、いい題名じゃないですか。ぜひおやりなさい」と笑いながら、おっしゃったことである。それは、たぶん、『あかさたな』という小幡欣治の原作名で撮影していた作品が、わたしが予告編を作る直前になって、『妾二十一人　ど助平一代』と命名されたことを思い出したせいだろう。

その後もなにかにつけて成澤さんにはご意見をいただき、色川武大原作で『明日泣く』（２０１１）を撮るときには「ダニエル・マン監督、スーザン・ヘイワード主演の『明日泣く』を見直しておいたほうがいいですよ」と忠告され、英語版を手に入れて見た。だから、渋谷毅さんと音楽の打ち合わせをしたとき、アメリカ版と関係なく作曲してくださいと、自信をもって言うことができた。

たまたま拙作『明日泣く』のスチール写真とすてきなパンフレットを作ってくれた赤井紀美さんが日本女子大の大学院で新派劇の研究をしていて、その方面の権威である成澤さんに一度お会いしたいと言った。

すると都合のいいことに、池袋の新文芸坐で錦之助特集があり、佐々木康監督『美男城』の上映後、脚本を書いた成澤さんが登場するというイベントがあった。さっそく赤井さんと出かけていき、情報量の多いトークショーを楽しんだあと、奥さま同伴の成澤さんとお会いして、赤井さんとの約束も果たせたのだった。わが日録によれば、２０１３年11月23

日のことで、新しく移られたマンションも教えていただいたのだが、そのうちにと思いつつ、訪問は果たせなかった。

２０１９年７月20日、アテネ・フランセ文化センターでシナリオ作家協会主催の「脚本で観る日本映画史」に成澤さんの監督デビュー作『裸体』が取り上げられ、佐伯俊道氏を相手にトークをすることになった。１９６２年松竹公開の作品で、本来なら、成澤さんご自身が登場する予定だった。しかし、お加減がわるく、わたしが代理を務めるようにとの指示があったとのこと。あわててわたしは作品の周辺について、にわか勉強した。

成澤さんは永井荷風原作で『裸体』のほかに、東映で１９６６年に『四畳半物語　娼婦しの』を監督しているので、半藤一利の『荷風さんの昭和』にはじまり、相磯凌霜との対談『荷風思出草』や松本哉『永井荷風ひとり暮し』『荷風極楽』など、いろいろ読んでみたのだが、成澤さんは１９５９年に亡くなった荷風と会っているのだろうかということが、どうしても知りたくなった。

その頃、神田如水会館で東映主催により、佐藤純彌、坂上順両氏を偲ぶ会があって、娼婦しのを演じた三田佳子さんと話す機会がもてた。仕事熱心な彼女なら知っているのではないかと質問した。が、「むかしのことで、忘れました」との返事。いまさらのように、「キネマ旬報」誌の『映画と芝居のはなし　成澤昌茂、生涯を語る』の連載中断が惜しまれた。第二回では荷風家に払わねばならぬ高い原作料のことまで書いてあったのだ。

そうなると、奥さまを介してでも謎を解きたくなり、成澤家に電話した。はたして電話に出られた奥さまは、聴き取りやすい仕掛けのしてある携帯電話で掛けなおすから、自宅でまつようにとのこと。まもなく電話がきて、成澤さんご本人の口から「荷風には会いました」という回答を得た。わたしとしては、そのときの様子を詳しく質問したくなったが、それはまた改めてお元気になられてから、うかがおうと我慢した。しかし、それが最後の会話となってしまった。

新聞でお亡くなりになったということを知ったとき、思い切ってお電話してよかったという想いと、もっとお話ししておけばという悔しさをともなう哀しみが同時にこみあげてきた。成澤ファンが若い人たちに増えていることがせめてもの慰めである。

「シナリオ」２０２１年６月号

千葉真一と「マイ・ボーイ」のこと

千葉真一が新型コロナで逝去したとの報は、哀しいとともに、衝撃的だった。最近こそ会っていないとはいえ、忙しく仕事の打ち合わせをしていた頃は、こちらに語るすきを与えないくらい元気よくしゃべりまくる俳優だったからである。ワクチンの注射を拒んでいたというが、これも老いてますます盛んな、彼一流の理論があってのことで、まだ何かやれただろうと惜しまれる。

千葉真一はニューフェイス、わたしは助監督で1959年の東映入社であるが、俳優は名まえの出るまでがはやく、われわれは「苦節十年」ということになるので、同じ同期でも亀石征一郎のように詩集『審判』を出したりして、読んで感想を聞かせてほしいと言うようなタイプは別として、あまり私的に話し合うことはなかった。

わたしが初めて千葉真一と一緒に仕事をした記憶は島津昇一監督の『警視庁物語　不在証明　十五才の女』（1961）で、彼は性格にぴったりの仕事熱心な新米刑事役を演じ、同期の新井茂子もいい役で出演していた。

わたしはといえば、島津監督がロケーションでしきりとズームレンズを使いたがるので、助監督としてロングの人除け、交通整理がたいへんだった。駆け回ったあげく、腹ペコになり、下町の店でコロッケを買って立ち食いしたら、ひどくうまかったことを記憶している。そんなわけで千葉真一とともに酒を飲み、語り合えるようになったのはようやくわたしが鷹森立一監督『続　浪曲子守唄』（1967）のチーフ助監督になってからのことである。

　当時の東映は、『網走番外地』のときもそうであったが、1本目はモノクロで、ヒットすると2本目はカラーになり、配役も豪華になるのだった。千葉真一は上機嫌で「まろうど」というトランプのカードで壁を張り詰めたモダンな店へ連れていってくれて、真夜中過ぎまで映画論をした。

　いまひとつ記憶にあるのはヒロインの小山明子さんに「大島渚が主題歌を唄っている一節太郎のサインがほしいと言っているから貰ってほしい」と頼まれたことである。ほかに大原麗子、嵐寛寿郎、田中邦衛も熱演していたので、いま見ても、懐かしい、昭和のはじめを描く娯楽作と言えるだろう。

　が、なんといっても子役を演じる下沢広之の達者さである。ひとも知るように、彼はのちの真田広之であり、最新作のアンドリュー・レヴィタス監督『ＭＩＮＡＭＡＴＡ―ミナマタ―』（２０２０）でもジョニー・デップと共演して頑張っている。

千葉真一の功績は俳優に留まらず、真田広之や志穂美悦子といったスターを養成することに力をつくし、拙作『若い貴族たち　１３階段のマキ』（１９７５）では、志穂美悦子の兄貴役として特別出演してくれた。

１９７９年の夏、東映の京都撮影所で大島渚監督との共同脚本『日本の黒幕』（大島渚著作集第3巻所収）の脚本がクランクインできなかったので、もう京都へよばれることはないなと思っていたら、81年の夏、同じく日下部五朗の企画で、鷹森立一監督、千葉真一、真田広之、秋吉久美子共演の『冒険者カミカゼ』の脚本を桂千穂、中島貞夫と共同で書くことになった。

映画は長崎の軍艦島のロケが最後にあって、派手な娯楽作品に仕上がっていたが、いま、ＤＶＤで見直したところ、千葉と真田のコンビが若々しく、はじけた青春映画になっていた。ラピュタ阿佐ヶ谷で拙作『俗物図鑑』の上映後にトークイベントがあり、「若い監督の作品を見るか」という質問を受けたけれど、わたしは試写状にデビュー作とあれば、時間のゆるすかぎり見るようにしている。そこには彼らの過去の蓄積や将来の可能性が詰め込まれているからだ。この原稿を書いている前にも実は見てきたばかりで、私の知らない青春のディテールが描かれていて興味深かったが、多くの新人作品同様、時代を反映して暗い映画だった。

その点、『冒険者カミカゼ』はリーマンショック以前の、バブリーで、ある意味、ノーテンキな青春映画である。千葉真一はこの作品が気に入って、84年の夏、サニー千葉・エンタープライズ製作で、みずからが監督の『マイ・ボーイ』という作品の脚本をわたしと桂千穂に頼んだのだった。

わたしたちは打ち合わせのため、京都小倉山の千葉真一の別荘を訪ねた。隣は遠藤周作の別荘で、野際陽子さんたちとプール付きの庭で、バーベキュー・パーティをしたあと、深夜までシナリオについて話し合った。翌日、千葉真一のすすめで参考のためにフランコ・ゼフィレッリ監督『チャンプ』（１９７９）を見た。その作品の子役がいいというのである。

コロナ自粛の生活で時間があったので、製作されなかった印刷台本を読んでみた。主人公の名まえは『冒険者カミカゼ』とおなじくＪＪといい、真田広之とのコンビ。北海道での競馬やロスアンジェルスでのマイクロライトの競技などいろいろあって、さすがのソニー・チバでも資金が集まらず、台本だけが残ったが、中野の福屋ホテルにこもって仕事している間は、夢があって楽しかった。今ではもう、お付き合いはないけれど、佐藤君という若いマネージャーが親切に仲介の労をとってくれて、恵比寿にあったＪＡＣの本部を訪ねたこともある。

記憶にやきついたのは千葉真一がしつこく主張したラストシーンである。競技大会で彼の操縦するマイクロライトが快調に着水し、優勝する寸前、写真班の乗ったモーター・ボートが不用意にも目前に出てきて、機体が水に沈むという、おもいがけない事態である。千葉真一はやがて水面に顔を出し、岸に向かって泳ぎだすところで、谷村新司作詞・作曲の「マイ・ボーイ」がかぶるというのだ。その唐突さは、到底、われわれライターが考えるものではなかった。千葉真一はあの唄で終わる映画が作りたかったのだ。まだまだ、いろいろやってほしい人だった。

「映画芸術」２０２１年秋号

あとがき（映画製作とコロナ自粛の日々）

『気まぐれ美術館』シリーズで有名な洲之内徹をめぐる映画を、例によって低予算で作ろうとしていた矢先に、今回の新型コロナ騒動が起きてしまった。息子の研が書いた脚本を関係者に読ませてあるだけで、まだスタッフも組んでなかったので、経済的被害は皆無だったが、出演を予定してくれた斎藤工や寺田農の配役はまた改めて考えなければならないことだろう。

こんど準備するときに新潟、宮城、名古屋、松山のロケは、はたしてできるだろうかともかんがえる。ぜひオリンピックをという映画監督の談話を朝日新聞で読んだけれども、大がかりなプロジェクトだけでなく、わが自主映画の世界もそれなりにたいへんなのだ。

そんなおり、「芸術新潮」連載の洲之内徹の文章をこよなく愛し、そこだけは読んでいたという小林秀雄を、この映画で演じることを楽しみにして、ひとにも語っていた、坪内祐三が突然亡くなってしまった。

坪内祐三は拙著『ヘボン博士のカクテル・パーティ』（講談社）や『シネマと銃口と怪人』（平凡社ライブラリー）の書評をしてくれたことで知己を得た畏友で、２０１１年に公開した『明日泣く』では作家、色川武大を演じる斎藤工の父親として出演してもらった。

その映画がハンブルクの日本映画祭に家人同伴で招待され、エルベ河のほとりの酒場で飲んでいたとき、ドイツ人が興味をもってくれた日本のジャズ文化だけでなく、酒場文化についての映画も撮りたいと思った。

すでに小津安二郎の諸作品には、古きよき酒場文化が描かれているわけだが、当方にそんな予算はないので、坪内祐三が「小説現代」に連載していたエッセイを彼の主演で撮ることにし、当人に打診したところ、愛する東京の風物が失われてしまうと、オリンピックに反対していた彼はすぐのってきた。

そこで早稲田の仏文で、プルーストの『失われた時を求めて』をしきりと読んでいた脚本担当の研に、同じ趣味の流れで、映画『酒中日記』の冒頭は、文士の本棚を映像に留めるべく、三軒茶屋の坪内さんの部屋から始めるようにと頼んだ。だが坪内さんは、新宿ゴールデン街の酒場「しん亭」で小林秀雄をめぐる読書会をしている場面から始めたいと言い、わたしも「原作者の意見だからなあ」と笑って受け入れた。

その小林秀雄を坪内さんは演じることなく逝ってしまったが、通夜の席に飾ってあった『酒中日記』の東映ビデオはよく売れたし、わたしも拙文を書いた、分厚い「ユリイカ」の「総特集　坪内祐三」は朝日新聞の週間売り上げベストテンに入っていた。多くのひとが、彼の時代を反映した文章を愛読していたのだ。

「Hanada」三月号（２０２０）に載った、梅宮辰夫の遺著『不良役者』をめぐる書評の冒頭で坪内祐三は、「スーパースターの撮影拠点が京都であったのに対し、梅宮は東京（大泉）で活躍した。『不良番長』や『夜のならず者』シリーズといった作品を監督した内藤誠は、梅宮辰夫が『仁義なき戦い』に出演した時、梅宮まで京都に持っていかれてしまったと嘆いた」と書いた。ときに道化役とはいえ、最後まで坪内祐三の文章に登場し、気にかけてもらったのだと、哀惜の情がこみあげてきた。

自粛生活の間もわたしは心がけて、絵画と音楽に関する映画はよく見た。絵画のほうでは、生前はまったく売れなかったというゴッホの絵の最大の収集家を描くジョヴァンニ・ピスカーリア監督のドキュメンタリー『ゴッホとヘレーネの森　クレラー＝ミュラー美術館の至宝』や、ジュリアン・シュナーベル監督の『永遠の門　ゴッホの見た未来』を見た。『永遠の門』はウィレム・デフォーがゴッホ役だが、マチュー・アマルリック演じる精神科医ポール・ガシェまで登場する。

　引きこもり生活で時間が充分にあるので、本棚からアントナン・アルトーの『ヴァン・ゴッホ』（粟津則雄訳、ちくま学芸文庫）を取り出して読んだ。みずからの精神科医との体験をもとにアルトーはこう書いている。

「ゴッホのつねに活動を続けている透視力にくらべれば、精神医学などというものは、もはや、ゴリラどものたむろする世界にすぎぬ。そしてこのゴリラども自身、強迫観念につきまとわれ、責めさいなまれているのだが、彼らは、いかにも人間くさい不安や窒息が生み出すこの上もなくおそるべき状態を一時的にごまかすために、こっけいな、専門的用語法しか持ち合わせていないのである」

　この圧倒的に自己肯定的な文章を読んだあと、久しぶりに演技者アルトーの顔が見たくなり、アベル・ガンス監督の『ナポレオン』のＤＶＤを見た。フランス革命で刺殺されるマーラーを演じているのだが、狂気の面持ちで毒舌を吐く演技はやはり異能だった。

　コロナのせいで試写会の代わりにＤＶＤを送ってくる機会が多くなり、ユスプ・ラジコフ脚本監督の『剣の舞　我が心の旋律』が届いたときは嬉しかった。アルメニア出身のハチャトリアンが名曲「剣の舞」をひと晩で書きあげる物語だが、サローヤンを数冊翻訳しているわたしとしては、とりわけアララト山を背景にした場面など感動的で、サンプルＤＶＤを繰り返し見た。

　7月に入っても試写会の代わりにサンプルＤＶＤが届き、ローベルト・ゼーターラーの『キオスク』を原作とするニコラウス・ライトナー監督『17歳のウィーン　フロイト教授人生のレッスン』を見ることができた。これは１９３７年ナチス・ドイツとの併合に揺れるウィーンを舞台に、精神科医ジークムント・フロイト博士に見守られながら、成長していく少年の物語なのだが、１９９９年の夏、フロイトハウスを訪れて、治療用のカウチに座ってみたことのあるわたしには、懐かしさまでこみあげる映画だった。

同じくナチスに関連した書物として、吉田喜重が構想20年だという『贖罪　ナチス副[illegible]統ルドルフ・ヘスの戦争』（文藝春秋）を書いたので、すぐさま購入して読んだ。山際永三監督と同じく、陸軍幼年学校を受験した最後の学年で、小説は自伝的な部分から始まっている。

吉田喜重はヘスが１９４１年5月10日、単身メッサーシュミットを操り、スコットランドへ飛び立ったという新聞記事を少年時代に読み、そのことの意味を解明しようとする。ヘスの人間関係が劇的に書きこまれていて、さすが映画監督の作品らしいと感銘を受けた。

監督仲間の話でいえば、延期になっていた日本映画監督協会の総会が、都内の感染者が連日２００人を超えるなかで開催された。やはり出席者は少なく、シニアであるわたしも委任状を提出しようと思ったのだが、協会報のマニュアル通り、持続化給付金の手続きをしたところ、一週間で無事、受け取ることができたので、これは頑張って出席しなければと出かけたところ、議長を頼まれてしまった。

映画の撮影が中断している今、わたしはできることは何でもやることにしていて、テレビのクイズ番組にも出演し、原稿もすべて引き受けている。そのおかげで、ふだんは味わえない楽しいこともあった。

ある日、高校の同級生Sさんから手紙がきて、NHKの朝の連続ドラマ『エール』を見ているのだが、まんが『古関裕而ものがたり』（三代目仙之助画、彩流社）の原作をわたしが書いていると知って、さっそくアマゾンで購入してくれたというのだ。

また別の日、試写会がなくなった穴埋めに「日経新聞」にわたしが書いたエッセイを読んだ東映時代の上司Tさんからハガキをいただいたのも嬉しかった。それは東映の助監督になって初めてついた家城巳代治監督『素晴らしき娘たち』に関する思い出だったが、Tさんは「私と同じグランドで過ごしながら、遥かに充実した豊かな映画人生を送られていることを知り、感銘を受けました」と書いてあり、経済的には豊かな重役にこう言われると、まあ、これでいいかと慰められた。こんなお便りがいただけるのも、「引きこもり生活」のおかげだろう。

本書を出すにあたっては、キネマ旬報社で『偏屈系映画図鑑』を編集していただいた高崎俊夫氏のはからいで、飯田昌宏氏に取り次いでいただき、わたしの希望通り、
書での刊行となった。編集担当の山内健太郎氏ともども感謝いたします。